O ESTOICISMO

GEORGE STOCK

O ESTOICISMO

CONHEÇA NOSSO LIVROS
ACESSANDO AQUI!

Título original: Stoicism

2ª Impressão 2023

Presidente: Paulo Roberto Houch
MTB 0083982/SP

Coordenação Editorial: Priscilla Sipans
Coordenação de Arte: Rubens Martim
Tradução e Preparação de Texto: Leonan Mariano e Lilian Rozati
Revisão: Mirella Moreno

Vendas: Tel.: (11) 3393-7727 (comercial2@editoraonline.com.br)

Foi feito o depósito legal.
Impresso no Brasil

Dados Internacionais de Catalogação na Publicação (CIP)
de acordo com ISBD

S864e Stock, George

O Estoicismo / George Stock. - Barueri : Camelot Editora, 2023.
96 p. ; 15,1cm x 23cm.

ISBN: 978-65-85168-50-2

1. Filosofia. I. Título.

2023-1802 CDD 100
CDU 1

Elaborado por Vagner Rodolfo da Silva - CRB-8/9410

IBC — Instituto Brasileiro de Cultura LTDA
CNPJ 04.207.648/0001-94
Avenida Juruá, 762 — Alphaville Industrial
CEP. 06455-010 — Barueri/SP
www.editoraonline.com.br

SUMÁRIO

PREFÁCIO

Como adepto da Escola Peripatética, não defendo os Estoicos, mas tenho me esforçado para ser justo com eles e talvez um pouco mais, sem estar atento a tirar deles alguns louros emprestados. Muitas coisas foram atribuídas ao Pórtico que na verdade pertenciam à Academia ou ao Liceu. Se você despir o estoicismo de seus paradoxos e seu uso indevido da linguagem, o que resta é simplesmente a filosofia moral de Sócrates[1], Platão[2] e Aristóteles[3], entrelaçada à física de Heráclito[4]. O estoicismo não era tanto uma nova doutrina quanto a forma sob a qual a velha filosofia grega finalmente se apresentou ao mundo em geral. Devia sua popularidade, em certa medida, à sua extravagância. Muito pode ser dito sobre o

1 Sócrates (c. 470 a.C. - 399 a.C.), antigo filósofo grego cujo modo de vida e pensamento influenciaram profundamente a filosofia ocidental. (N. do E.)
2 Platão (c. 428-427 a.C. - 348-347 a.C.), um dos principais discípulos de Sócrates, foi autor de obras filosóficas de riqueza e influência incomparáveis. Muitas delas reúnem célebres diálogos nos quais relata os ensinamentos de seu mestre. (N. do E.)
3 Aristóteles (384 a.C. - 322 a.C.) foi aluno e colega de Platão, além de tutor de Alexandre, O Grande. Distanciou-se da academia de seu mestre na medida em que suas ideias foram tomando caminhos diferentes, criando sua própria Academia, a qual chamou de Liceu. (N. do E.)
4 Heráclito de Éfeso (c. 540 a.C. - 480 a.C.), filósofo cuja escola tem como base o preceito de que, na natureza, tudo está em constante fluxo. É lembrado, também, por sua cosmologia, na qual o fogo é o princípio material básico de um universo ordenado. (N. do E.)

estoicismo como religião e sobre o papel que desempenhou na formação do cristianismo, mas esses assuntos foram excluídos pela proposta deste volume, que era apresentar um esboço da doutrina estoica com base em suas autoridades originais.

St. George Stock M.A., Pembroke College, Oxford.

CAPÍTULO I

FILOSOFIA ENTRE OS GREGOS E ROMANOS

Entre os gregos e romanos da Era clássica, a filosofia ocupava o mesmo lugar que a religião assume entre nós. Seu apelo era para a razão, não para a revelação. "Em que", pergunta Cícero[5], em seus *Ofícios*, "devemos buscar o treinamento na virtude, senão na filosofia?" A mente moderna responde: "Na religião". Ora, se acredita-se que a verdade repousa sobre a autoridade, é natural que ela seja impressa na mente desde a mais tenra idade, pois o essencial é que ela seja acreditada; mas uma verdade que apela à razão deve se contentar em esperar até que a razão seja desenvolvida. Nascemos na comunhão oriental, ocidental ou anglicana, ou em alguma outra denominação ligada à religião, mas foi por livre escolha que os jovens gregos ou romanos de espírito sério abraçaram os princípios de uma das grandes seitas que dividiam o mundo da filosofia.

O motivo que os levaram a fazê-lo, em primeira instância, pode ter sido apenas a influência de um amigo ou um discurso de algum orador eloquente, mas, uma vez feita sua própria escolha, esta era considerada e a ela aderia como tal. As conversões de uma seita para a outra eram de ocorrência bastante rara. Um certo Dionísio de Heracleia, que passou

5 Marco Túlio Cícero (c. 106 a.C. - 43 a.C.) filósofo cujos escritos abrangem, além de tratados filosóficos e políticos, cartas, orações e livros de retórica. (N. do E.)

dos estoicos aos cirenaicos[6], ficou conhecido posteriormente como "o desertor"[7]. Era tão difícil ser independente em filosofia quanto é para nós ser independente em política.

Quando um homem jovem entrava em uma escola, ele se comprometia com todas as suas ideias, não somente as relacionadas ao fim da vida, que era o principal ponto de diferenciação, mas também a todas as questões a respeito de todos os assuntos. A escola estoica não distinguia da epicurista[8] meramente pela ética; ela se distinguia em sua teologia, sua física e sua metafísica. Aristóteles, como sabia Shakespeare[9], percebia que homens jovens "eram incapazes de ouvir sobre filosofia moral". E, ainda assim, essa era uma questão — ou, até mesmo, a questão — da filosofia moral, cuja resposta decidia a opinião do jovem em todos os outros aspectos.

A linguagem da qual Cícero faz uso, algumas vezes, sobre a seriedade dessa escolha feita ainda na juventude e como um jovem se envolve em uma escola antes de ser propriamente apto a raciocinar, nos lembra do que ouvimos hoje em dia sobre os perigos de um jovem acatar ordens antes de suas opiniões estarem formadas[10]. A isso foi dito que um jovem só exercia seu direito de julgamento próprio ao escolher a autoridade à qual ele desejava seguir e, uma vez que

6 Adeptos da escola de pensamento cirenaica, assim chamada por conta da cidade de Cirene (atual Líbia), na qual se originou. (N. do E.)

7 Do grego "*μεταθέμενος*" (*metathémenos*). Em inglês foi traduzido para "transposed". Diógenes Laércio, *Vidas e Doutrinas dos Filósofos Ilustres*, Livro 7 - Estoicos, parágrafo 166; cap. 23, 37; Cícero, *Acadêmicas*, II, parágrafo 71; *De Finibus Bonorum et Malorum*, V, parágrafo 94. (N. do R.)

8 A escola epicurista foi criada pelo filósofo grego do período helenístico Epicuro de Samos. (N. do E.)

9 William Shakespeare (1564 - 1616), considerado um dos maiores dramaturgos que o mundo já viu. (N. do E.)

10 Cícero, *Acadêmica*, prefácio, parágrafo 8.

isso fosse feito, confiava a ela todo o resto. A analogia dessa discussão nos é familiar nos tempos modernos.

Cícero admite que poderia haver algo nisso se a seleção do verdadeiro filósofo não exigisse, acima de tudo, uma mente de filósofo. Mas naqueles dias, provavelmente era o caso, assim como agora, que se um homem não formasse opiniões especulativas na juventude, a pressão das tarefas não o permitiria ter tempo livre para fazê-lo mais tarde.

A vida de Zenão[11], o fundador do estoicismo, foi entre 347 a.C. e 275 a.C. Ele não começou a ensinar até 315 a.C., já na idade madura dos quarenta anos. Aristóteles faleceu em 322 a.C., e com ele encerrou a grande Era construtiva do pensamento grego. Os filósofos jônicos haviam especulado sobre a constituição física do universo, os pitagóricos sobre as propriedades místicas dos números; Heráclito havia proposto sua filosofia do fogo, Demócrito e Leucipo[12] haviam traçado uma forma rudimentar da teoria atômica; Sócrates havia levantado questões relativas ao homem, Platão as havia discutido com toda a liberdade do diálogo; enquanto Aristóteles as havia trabalhado sistematicamente.

As escolas posteriores não acrescentaram muito ao corpo da filosofia. O que fizeram foi ressaltar os diferentes lados da doutrina de seus predecessores, e levar as opiniões às suas consequências lógicas. A grande lição da filosofia grega é a de que vale a pena fazer o certo independentemente de recompensa, punição, ou da brevidade da vida. Essa lição que os estoicos tan-

11 Zenão de Cítio, filósofo que ensinava publicamente nos chamados pórticos cobertos (*stoa poikilé*), dando origem ao nome "estoicismo". (N. do E.)
12 Demócrito de Abdera (c. 460 a.C. - 370 a.C.), considerado uma das figuras centrais da filosofia atomista, cujos preceitos extraiu de seu mestre, Leucipo de Abdera (N. do E.)

to reforçaram com a seriedade de suas vidas e a influência de seu ensinamento moral foi a que se tornou mais particularmente associada a eles. Cícero, embora sempre se classificasse como um acadêmico, exclama em algum momento que teme que os estoicos sejam os únicos filósofos, e sempre que está combatendo o epicurismo, sua linguagem é a de um estoico. Algumas das passagens mais eloquentes de Virgílio[13] parecem ser inspiradas pela especulação estoica[14]. Mesmo Horácio[15], apesar de suas brincadeiras em relação ao sábio, em seus humores sérios, toma emprestada a linguagem dos estoicos. Foram eles que inspiraram os mais altos voos da eloquência declamatória em Pérsio[16] e Juvenal[17]. Sua filosofia moral afetou o mundo por meio da lei romana, cujos grandes mestres foram criados sob sua influência. De fato, essa filosofia moral dos estoicos era tão difundida que foi lida pelos judeus de Alexandria em Moisés, sob o véu da alegoria, e foi declarada como sendo o sentido secreto das Escrituras hebraicas. Se os estoicos não acrescentaram muito ao corpo da Filosofia, fizeram um grande trabalho em torná-la popular e trazê-la para a vida.

A intensa praticidade foi uma marca da filosofia grega posterior, um ponto comum ao estoicismo e ao seu rival, o epicurismo. Ambos consideravam a filosofia como "a arte de viver", embora diferissem em sua concepção sobre o que essa arte deveria ser. Por mais que as duas escolas fossem opostas uma à

13 Públio Virgílio Maro (70 a.C. - 30 a.C.) um dos mais renomados poetas romanos, conhecido pela sua epopeia Eneida. (N. do E.)

14 Virgílio, *Geórgicas,* IV, 219-227; *Eneida,* VI, 724-751; Compare com Diógenes Laércio, *Ibid.*, parágrafo 110.

15 Quinto Horácio Flaco (65 a.C. - 8 a.C.), poeta lírico e satírico de grande prestígio em Roma. (N. do E.)

16 Aulo Pérsio Flaco (34 - 62 d.C.), poeta adepto do estoicismo. (N. do E.)

17 Décimo Júnio Juvenal (c. 60 - 140 d.C.), um dos mais poderosos poetas satíricos romanos. (N. do E.)

outra, elas também tinham outras características em comum. Ambas eram filhas de uma época em que a cidade livre dera lugar às monarquias, e a vida pessoal tomara o lugar da vida corporativa. A questão da felicidade não está mais — como de acordo com Aristóteles, e ainda mais com Platão — em benefício do Estado, mas do indivíduo. Em ambas as escolas, o interesse especulativo foi fraco desde o início e tendeu a diminuir com o passar do tempo. Ambas eram novas versões de escolas pré-existentes. O estoicismo nasceu da escola cínica[18], assim como o epicurismo nasceu da escola cirenaica. Ambas se contentaram ao recorrerem à física das escolas pré-socráticas, uma adotando a filosofia do fogo de Heráclito, a outra a teoria atômica de Demócrito. Ambas reagiram veementemente contra as abstrações de Platão e Aristóteles, e não toleravam nada além da realidade concreta. Os estoicos eram tão materialistas à sua maneira quanto os epicuristas. Com relação à natureza do bem maior, podemos, com Sêneca[19], representar a diferença entre as duas escolas como uma questão dos sentidos contra o intelecto; mas veremos agora que os estoicos consideravam o próprio intelecto como uma espécie de corpo.

Todos os gregos concordavam que havia um fim ou objetivo na vida, e que este deveria ser chamado de "felicidade", mas seu ponto de concordância terminava ali. Quanto à natureza da felicidade, havia a maior variedade de opiniões. Demócrito a fez consistir na serenidade mental[20]; Anaxágoras, na especulação; Sócrates, na sabedoria; Aristóteles, na prática da virtude acrescida a alguma

18 Corrente filosófica fundada por Antístenes (c. 445 a.C - 365 a.C.). (N. do E.)
19 Sêneca, *Cartas de um Estoico,* carta 124, parágrafo 2: "Aqueles que colocam o prazer como o ideal máximo acreditam que o bem é proveniente dos sentidos; mas nós, estoicos, acreditamos que este é proveniente da mente."*quicumque voluptatem in summo ponunt, sensible iudicant bonum: nos contra intelligible, qui illud animo damus.*
20 Estobeu, Livro II, parágrafo 76; Diógenes Laércio, Livro IX, parágrafo 45.

ajuda do destino; Aristipo, simplesmente no prazer. Essas eram as opiniões dos filósofos. Mas, além dessas, havia as opiniões de homens comuns, conforme demonstrado por suas vidas e não por seus discursos. A contribuição de Zenão para o pensamento sobre o assunto não parece, no primeiro momento, elucidativa. Disse ele que o fim era "viver de maneira harmoniosa"[21]; a implicação, sem dúvida, é que nenhuma vida, exceto a vida sem paixões, que segue a razão, poderia ser consistente consigo mesma. Cleantes[22], seu sucessor imediato na escola, é creditado por ter acrescentado as palavras "com a natureza", completando assim a conhecida fórmula estoica de que o fim é "viver consistentemente com a natureza"[23].

Fora admitido pelos gregos que os caminhos da natureza eram "os caminhos da plenitude", e que "todas as suas trilhas" eram de "paz". Isso pode soar, para nós, como uma suposição alarmante, mas isso se dá porque não temos da "natureza" a mesma concepção que eles. Nós conectamos o termo com a origem de alguma coisa, eles o conectavam com seu fim; por "estado natural" nós queremos dizer um estado de selvageria; eles queriam dizer a mais alta civilidade; nós queremos dizer com a natureza de algo o que ela é ou era; eles queriam dizer o que pode se tornar sob as condições mais favoráveis; não uma maçã azeda, mas a maçã doce com a glória das Hespérides[24], digna de ser guardada por um dragão insone, que era, para os gregos, a maçã natural.

Logo, vemos Aristóteles afirmar que o Estado é um produto natural, pois ele evoluiu das nossas relações sociais que

21 Estobeu, *Éclogas*, II, 132, *τὸ ὁμολογουμένως ζῆν*.
22 Cleantes de Assos (c. 330 a.C. - 232 a.C.), filósofo que moldou as teorias do que agora é conhecido como estoicismo. (N. do E.)
23 Estobeu, *Ecl.* II 134; Diógenes Laércio *Ibid.*, parágrafo 87, τὸ ὁμολογονμένwς τn qύοει ζῆν. Cícero, *Ofícios*, livro II, parágrafo 13, *convenienter naturae vivere*.
24 De acordo com a mitologia grega, hespérides eram deusas primitivas que protegiam um jardim com árvores frutíferas que davam maçãs de ouro. (N. do E.)

existiam de forma natural. A Natureza, na realidade, era um termo tão ambíguo para os gregos quanto é para nós[25], mas no sentido que nos diz respeito, a natureza de qualquer coisa era definida pelos Peripatéticos[26] como "o fim de sua transformação"[27]. Outra definição deles traz mais luz ao assunto. "O que cada coisa é quando seu desenvolvimento termina, assim declaramos a sua natureza"[28].

Seguindo essa concepção, os estoicos identificaram uma vida em concordância com a natureza como sendo uma vida harmônica da alta perfeição que o homem poderia atingir. Agora, como o homem era, essencialmente, um animal racional, seu trabalho enquanto ser humano corresponde viver uma vida racional. E a perfeição da razão é a virtude.

Por conseguinte, os caminhos da natureza não diferiam dos caminhos da virtude. Foi possível, portanto, manifestar a fórmula estoica de várias maneiras diferentes, e que tinham como objetivo um mesmo propósito. A meta era viver uma vida virtuosa, de forma consistente, em concordância com a natureza, ou viver racionalmente[29].

Sendo o objetivo da vida a obtenção da felicidade por meio da virtude, como então a filosofia se relacionava com ele? Já vimos que era considerado como "a arte de viver". Assim como a medicina era a arte da saúde, e velejar era a arte da navegação, também precisava haver uma arte de viver. Era razoável que objetivos menores fossem atendidos e o objetivo supremo negligenciado?

---

25 Confira as várias definições dadas por Aristóteles em sua obra *Metafísica,* IV, 4.

26 Peripatético diz respeito à filosofia de Aristóteles, em razão de ensinar passeando, como fazia o filósofo. (N. do E.)

27 Aristóteles, *Metafísica,* IV, parágrafo 7, *τὸ τέλος τῆς γενέσεως*.

28 Aristóteles, *A Política,* livro I. 2, parágrafo 8.

29 Diógenes Laércio, *Ibid.*, parágrafo 40, que intercambia os lugares do físico e do ético.

CAPÍTULO II

DIVISÃO DA FILOSOFIA

A filosofia era designada pelos estoicos como "o conhecimento das coisas divinas e humanas"[30]. Esta era dividida em três áreas: lógica, ética e física. Essa divisão, na realidade, já existia antes mesmo dos próprios estoicos[31], mas eles receberam seu crédito, assim como o de algumas outras coisas cuja autoria não lhes corresponde. Tampouco estava limitada a eles, mas fazia parte do pensamento comum. Mesmo os epicuristas, que dizem ter rejeitado a lógica, dificilmente podem ser contados como dissidentes dessa tríplice divisão. Por certo, o que eles fizeram foi substituir a lógica estoica por uma lógica própria[32], lidando com as noções derivadas dos sentidos, da mesma forma que Bacon[33] substituiu seu *Novum Organum* pelo Órganon de Aristóteles.

Dizem que Cleantes[34] reconhecia seis partes da filosofia, a saber: a dialética, a retórica, a ética, a política, a física e a teologia, mas estas são, claramente, o resultado da subdivisão das partes fundamentais. Das três áreas, podemos dizer que a lógica lida com a forma e expressão do conhecimento;

30 Cícero, *De Finibus Bonorum et Malorum*. II, parágrafo 37, *Ofícios*, I. parágrafo 153.

31 Aristóteles, *Tópicos* I. 14, parágrafo 4; Cícero, *Acadêmica*, posfácio., parágrafo 19; *De Finibus Bonorum et Malorum*, IV, parágrafo 4, V, parágrafo 9.

32 Sêneca, carta 89, parágrafo 11.

33 Francis Bacon (1561 - 1626), filósofo e estadista inglês. (N. do E.)

34 Diógenes Laércio, livro *Ibid.*, parágrafo 41.

a física, com a matéria do conhecimento; e a ética, com o uso do conhecimento. Tal divisão também pode ser justificada da seguinte maneira: a filosofia deve estudar a natureza (incluindo a natureza divina) ou o homem; e, se estuda o homem, deve considerá-lo pelo lado do intelecto ou pelos sentimentos, isto é, como um ser pensante (lógico) ou como um ser atuante (ético).

A ordem de como estudar diferentes áreas é preservada de acordo com as palavras de Crisipo[35] em seu quarto livro *Sobre A Vida:* "Primeiramente, parece-me que, assim como foi corretamente dito pelos antigos, existem três áreas nas quais as especulações do filósofo se enquadram: lógica, ética e física. Em seguida, é dito que a lógica deve vir em primeiro lugar, a ética em segundo e a física em terceiro, e que o tratamento dos deuses deve ser o último, daí também terem dado o nome de "completudes"[36] à instrução transmitida sobre esse assunto"[37].

Que essa ordem, no entanto, renda-nos a conveniência, é claro em outro livro sobre o uso da razão, no qual é dito que "o estudante que faz uso primeiramente da lógica não precisa se abster completamente das outras áreas da filosofia, mas deve estudá-las, também, da forma que a ocasião permite".

Plutarco acusa Crisipo de incoerência, pois diante dessa declaração quanto à ordem de tratamento, ele, ainda assim,

35 Crisipo de Solos (c. 280 - 206 a.C.), filósofo tido como um dos primeiros a organizar um sistema original de lógica proposicional, definindo-o como uma disciplina intelectual. (N. do E.)
36 *τελετας*
37 Esta passagem, somada ao auxílio de Sexto Empírico em *Adversus Mathematicos, Ibid.*. parágrafo 22, nos permite corrigir a afirmação de Diógenes Laércio, livro *Ibid.*, parágrafo 40.

diz que a moral repousa sobre a física. Mas a essa acusação pode-se responder de forma justa que a ordem da exposição não precisa coincidir com a ordem da existência. Metafisicamente falando, a moral pode depender da física e a conduta correta do homem ser dedutível a partir da estrutura do universo, mas, por conta de tudo, pode ser viável estudar física posteriormente.

A física significava a natureza de Deus e do Universo. A nossa natureza pode ser deduzida a partir disso, mas é mais conhecida como ponto de partida, assim como é melhor nos apoiarmos pela base do bastão — não pelo meio ou começo. Mas o que Crisipo ensinou sobre a dependência lógica da moral em relação à física é algo que fica claro em suas próprias palavras.

Em seu terceiro livro sobre os deuses, ele diz: "pois não é possível encontrar nenhuma outra origem para a justiça ou da forma como foi gerada, exceto a partir de Zeus e da natureza do universo, pois qualquer coisa que tenhamos a dizer sobre o bem e o mal deve, necessariamente, derivar sua origem daí", e novamente em suas *Teses Físicas*: "pois não há outra maneira, ou uma mais apropriada, de abordar o assunto do bem e do mal nas virtudes ou felicidade, do que com base na natureza de todas as coisas e na administração do universo — pois é a estes que devemos atribuir o tratamento do bem e do mal, visto que não há melhor origem à qual possamos atribuí-los, e visto que a especulação física é considerada apenas visando a distinção entre o bem e o mal".

Essas últimas palavras não têm valor algum, visto que até com Crisipo, que foi chamado de fundador intelectual do estoicismo, toda a ênfase da filosofia da *Stoa* recaiu sobre seus ensinamentos morais. Era uma analogia comum da escola comparar a filosofia com um vinhedo fértil ou com um pomar. A ética era o bom fruto, a física eram as plantas altas, e a lógica era a forte muralha. A muralha só existia para guardar as árvores, e as árvores só existiam para produzir os frutos[38]. Ou, de outro modo, a filosofia era comparada a um ovo, do qual a ética era a gema contendo o embrião, a física era a clara que o nutria, enquanto a lógica era a casca externa rígida.

Posidônio[39], um membro posterior da escola, contestava com o argumento de que, na analogia do vinhedo, o fruto, as árvores e a muralha eram separáveis, enquanto na filosofia as partes eram indivisíveis. Desse modo, ele preferiu compará-la a um organismo vivo, sendo a lógica os ossos e as entranhas; a física, a carne e o sangue; e a ética, a alma[40].

38 Fílon, I, 302, *De Agricultura,* parágrafo 3, I. 589; *De Mutatione Nominum.* 10; Diógenes Laércio, *Ibid.*, parágrafo 40.
39 Posidônio de Apameia (135 - 51 a.C.), considerado uma das figuras mais eruditas da escola estoica. (N. do E.)
40 Diógenes Laércio, *Ibid.*, parágrafo 40, quem troca a física e a ética de lugar.

CAPÍTULO III

LÓGICA

Os estoicos tinham uma tremenda reputação em relação à lógica. Nesse departamento, eles foram os sucessores, ou melhor, os substitutos de Aristóteles. De fato, após a morte de Teofrasto[41], diz-se que a biblioteca do Liceu foi enterrada no subsolo em Escépcis[42] até cerca de um século a.C. Assim, o *Órganon* pode realmente ter sido considerado perdido para o mundo durante esse período. De qualquer maneira, sob Estratão[43], o sucessor de Teofrasto, que se especializou em ciências naturais, a escola peripatética havia perdido sua abrangência. Cícero[44], até acha condizente e apropriado que Catão acuse os últimos peripatéticos de possuir uma lógica ignorante! Por outro lado, Crisipo tornou-se tão famoso por sua lógica que criou a impressão geral de que, se houvesse uma entre os deuses, não seria outra senão a crisipiana[45].

Mas se os estoicos eram fortes em lógica, eram fracos em retórica[46]. Essa força e fraqueza foram características da escola por todos os períodos. Catão é o único estoico romano

---

41 Aluno de Aristóteles, Teofrasto (c. 372 a.C. - 287 a.C.) foi um filósofo peripatético, um dos poucos que aderiu aos ensinamentos de seu mestre em sua totalidade. Em seu testamento, Aristóteles o designou como sucessor do Liceu (N. do E.)

42 Cidade de Trôade, uma antiga região a noroeste de Anatólia. Corresponde, hoje, à província turca de Chanacale. (N. do E.)

43 Estratão de Lâmpsaco, foi sucessor de Teofrasto (c. 335 a.C. - 269 a.C.) (N. do E.)

44 Cícero, *De Finibus Bonorum et Malorum,* III, parágrafo 41.

45 Cícero, *O Brutus*, parágrafo 118.

46 Cícero, *O Brutus*, parágrafo 118; *Paradoxa Stoicorum,* introdução, parágrafo 2.

a quem Cícero concede o clamor da verdadeira eloquência. Nas vozes moribundas da escola que ouvimos de Marco Aurélio, o sábio imperial considerava com gratidão ter aprendido a se abster da retórica, poética e elegância de dicção[47]. O leitor, no entanto, não consegue evitar desejar que ele tenha em algum momento diminuído o amargor do seu estilo.

Se uma lição fosse necessária sobre a importância do sacrifício às Graças, ela poderia ser encontrada no fato de que todos os primeiros escritores estoicos, apesar de sua sutileza lógica, pereceram, e o que restou deles tem de ser buscado, em grande parte, nos escritos de Cícero. Ao se falar da lógica como uma das três áreas da filosofia, devemos ter em mente que o termo possuía um significado muito maior comparado ao que demos. Ela incluía retórica, poética e gramática, assim como dialética ou lógica propriamente dita, para não questionar a análise dos sentidos e do intelecto ao qual hoje nos referimos como psicologia.

Diz-se que a escola era fraca em retórica. No entanto, Cleantes escreveu uma Arte da Retórica, assim como Crisipo, mas, tal como Cícero, poderia recomendar a leitura a qualquer um cuja ambição fosse manter a boca fechada[48]. Eles seguiram a divisão bem estabelecida da retórica em deliberativa, judiciária e demonstrativa, reconhecendo que os objetivos da oratória são influenciar os conselhos dos homens, pleitear a causa da justiça ou apresentar alguém ou algo como objeto de elogio ou censura[49]. Entre os requisitos do orador, eles enumeraram a invenção,

47 Marco Aurélio, *Meditações,* livro 1, parágrafo 7.

48 Cícero, *De Finibus Bonorum et Malorum,* IV, parágrafo 7.

49 Aristóteles, *Retórica,* livro 1, II; *Retórica a Alexandre,* 2, parágrafo 1; Diógenes Laércio, *Ibid.*, parágrafo 42; Cícero, *De Inventione*, I parágrafo 7; Cornificius, *Retórica a Herênio,* livro 1, 2, parágrafo 2

o estilo, a disposição e a entrega[50]. Um quinto requisito, a memória, geralmente é adicionado[51], pois os outros recursos têm pouca utilidade para o orador se não houver memória para reter o pensamento, a linguagem e a disposição. Outro ponto em que os estoicos seguiram a tradição estabelecida foi na análise de um discurso em prefácio, narração, matéria controversa e conclusão[52].

Em relação à "invenção", Cícero reclama dos estoicos por negligenciarem-na como uma arte[53]. Eles não tinham nada correspondente aos tópicos de Aristóteles para fornecer material para a dialética, nem um manual de oratória, como a posterior "Arte" de Hermágoras, que quase poupava as pessoas do trabalho de pensar.

A lógica como um todo era dividida em retórica e dialética: retórica definida como sendo o conhecimento do falar bem em discursos expositivos; e a dialética como o conhecimento do argumentar corretamente em relação a questionamentos e respostas[54]. Ambas a retórica e a dialética eram tidas pelos estoicos como sendo virtuosas, pois definiam virtudes, no seu sentido mais genérico, da mesma forma que dividiam a filosofia em física, ética e lógica[55]. Retórica e dialética eram, sendo assim, duas espécies de virtude lógica. Zenão expressou suas diferenças ao comparar a retórica com a palma da mão, e a dialética com o punho[56].

50 Diógenes Laércio, *Ibid.*, parágrafo 42.
51 Cícero, *De Inventione,* I, parágrafo 9; Cornificius. *Retórica a Herênio,* I, parágrafo 3; Fílon, I, 652, *De Somniis,* I, 35.
52 Diógenes Laércio, *Ibid.*, parágrafo 42; Cícero, *De Inventione,* I, parágrafo 19; Cornificius, *Retórica a Herênio,* I, parágrafo 4.
53 Cícero, *De Finibus Bonorum et Malorum,* IV, parágrafo 10.
54 Sêneca, carta 89, parágrafo 17; Diógenes Laércio, *Ibid.*, parágrafos 41, 42.
55 Cícero, *Acadêmica,* Posfácio, Parágrafo 5, compare com o parágrafo 132; Diógenes Laércio, *Ibid.*, parágrafo 92.
56 Cícero, *De Finibus Bonorum et Malorum,* IV, parágrafo 10; Quintiliano, *Institutos de Oratória,* II, 20, parágrafo 7.

Em vez de misturar a poética e a gramática com a retórica, os estoicos subdividiram a dialética na parte que lida com o significado e na parte que lida com a fonética; ou, como Crisipo disse, relacionando significantes e significados[57]. Sob o primeiro, veio o tratamento do alfabeto, das partes de um discurso, do solecismo[58], do barbarismo, dos poemas, das anfibologias, da métrica e música — uma lista que parece, quando vista pela primeira vez, um pouco desordenada, mas na qual podemos reconhecer os aspectos gerais da gramática, com suas áreas de fonologia, morfologia e prosódia. O tratamento do solecismo e do barbarismo na gramática corresponde ao das falácias na lógica.

No que diz respeito ao alfabeto, vale a pena notar que os estoicos reconheciam sete vogais e seis letras mudas[59]. Isso é mais correto do que nossa maneira, ao falar de nove letras mudas, uma vez que as consoantes aspiradas claramente não são mudas. Havia, de acordo com os estoicos, cinco partes do discurso: nome, apelativo, verbo, conjunção e artigo. *Nome* significava um nome próprio e *apelativo*[60], um termo comum.

Foram consideradas cinco virtudes da linguagem: helenismo, clareza, concisão, propriedade e distinção. Por *helenismo* entendia-se falar bem o grego. *Distinção* foi definida como "um falar que evitava a linguagem vulgar"[61]. Contra estes havia dois vícios abrangentes: o barbarismo e o solecismo, sendo um deles contrário à flexão, e o outro contrário à sintaxe.

57 Sêneca, carta 89, parágrafo 17; Diógenes Laércio, *Ibid.*, parágrafos 43, 62.
58 Diógenes Laércio, *Ibid.*, parágrafo 44.
59 Diógenes Laércio, *Ibid.*, parágrafo 57.
60 *πpoonyopia*, Diógenes Laércio, *Ibid.*, parágrafo 58.
61 *Ibid.* parágrafo 59. *κατασκευή δέ ἐστι λέξις έκπεφευγυῖα τὸν Ιδιωτισμόν.*

A ideia de poesia não se associa muito à austera seita dos estoicos. Em todo caso, é importante lembrar que a melhor expressão devocional do paganismo é o *Hino a Zeus* de Cleantes, e que Arato entre os gregos, junto aos romanos Manílio[62], Sêneca[63], Pérsio e Juvenal, podem ser atribuídos ao crédito da escola.

A anfibolia foi definida como "fala que significa duas ou mais coisas no sentido estrito dos termos, em prosa e na mesma língua". É, portanto, um nome geral para a ambiguidade[64].

Chegamos agora àquela parte da dialética que lida com o significado, não com a expressão, e que responde à nossa lógica. Os estoicos estavam longe de aceitar essa visão limitada da lógica, que a confinaria à mera consistência e negaria sua relação com a verdade. Eles definiram a dialética como "a ciência do que é verdadeiro e falso, e o que não é nem um nem outro"[65]. Sob o último surgiria uma pergunta. A lógica antiga remetia a isso, conforme era conduzida mediante perguntas e respostas. Do ponto de vista amplo da definição estoica da dialética, é evidente que o problema do cânone e critério da verdade se é essencial; e essa definição também se torna uma questão de grande importância por estar preocupada em determinar a natureza real das coisas.

Era através do critério que as diferentes informações vindas dos sentidos deviam ser corrigidas; e se as definições não

62 Marco Manílio (c. 1 - 25 d.C.), poeta romano conhecido por seu poema inacabado, o qual intitulou *Astronômica*. (N. do E.)
63 Lúcio Aneu Sêneca (4 a.C. - 65 d.C.), um dos mais ilustres representantes do estoicismo. (N. do E.)
64 O exemplo dado por Diógenes, *Ibid.*, parágrafo 2 é *αὐλητρὶς πέπτωκε*, que pode ser interpretado como (1) A casa caiu três vezes; (2) A meretriz teve uma queda. Isso é o que Aristóteles chamaria de "falácia da divisão".
65 Diógenes Laércio, *Ibid.*, parágrafos 42, 62.

fossem baseadas em ideias verdadeiras, nossa compreensão da realidade seria enfraquecida desde o início[66]. Desse modo, com os estoicos, assim como conosco, as dificuldades da lógica surgiram logo no início. Eles audaciosamente foram a fundo no assunto com uma análise das impressões dos sentidos, pensando que, se era para a verdade ser fundamentada, deveria ser pela confiança na validade dos sentidos[67].

Depois disso, os tópicos vêm bem em nossa ordem. O tratamento da sensação leva ao das noções, que correspondem aos nossos conceitos ou termos; então temos uma análise das proposições, suas partes e diversidade, bem disfarçadas por uma estranha fraseologia; depois vêm os modos e silogismos; e, em último, as falácias[68].

A famosa comparação da mente infantil com uma folha de papel em branco, que relacionamos tão intimamente ao nome de Locke[69], na verdade vem dos estoicos. Os primeiros caracteres inscritos na folha eram impressões dos sentidos, que os gregos chamavam de *fantasias*. A fantasia foi definida por Zenão como "uma impressão na alma"[70]. Cleantes se contentou em tomar essa definição por seu sentido literal e acreditar que a alma recebia impressões de objetos externos, como a cera de um anel de sinete[71]. Crisipo, entretanto, encontrou uma dificuldade aqui, e preferiu interpretar a palavra do mestre como significando uma alteração ou mudança

66 Diógenes Laércio, *Ibid.*, parágrafo 42.
67 *Ibid.* parágrafo 49; Cícero, *Acadêmica,* prefácio, parágrafo 29 diz que o critério da verdade e a natureza da virtude são as duas grandes questões da filosofia.
68 Diógenes Laércio, *Ibid.*, parágrafo 43.
69 John Locke (1632 - 1704), um dos mais importantes filósofos ingleses modernos, inaugurou a escola chamada "empirismo britânico". (N. do E.)
70 *τύπωσις ἐν ψυχῇ*, Diógenes Laércio, *Ibid.*, parágrafos 45, 50.
71 Diógenes Laércio, *Ibid.*, parágrafo 45.

na alma[72]. Ele imaginou a alma recebendo uma modificação de cada objeto externo que age sobre ela, assim como o ar recebe incontáveis golpes quando muitas pessoas falam ao mesmo tempo. Além disso, ele declarou que, ao receber uma impressão, a alma era puramente passiva, e que a fantasia revelava não apenas sua própria existência, mas também a de sua causa, assim como a luz mostra a si mesma e as coisas que estão nela. Desse modo, quando por meio da visão recebemos uma impressão do branco, a alma experimenta um sentimento, em virtude do qual podemos dizer que existe um objeto branco que nos afeta. O poder de nomear o objeto reside na compreensão. Primeiro deve ocorrer a fantasia, e o entendimento, tendo o poder de expressão, manifesta na fala o sentimento que recebe do objeto. A causa da fantasia foi chamada de *phantast*; o objeto branco ou frio. Se não há causa externa, então o suposto objeto da impressão foi um *fantasma*, como uma figura em um sonho, ou as Fúrias[73] que Orestes[74] vê em seu frenesi[75].

Como, então, a impressão que possuía uma realidade por trás deveria ser distinguida daquela que não a possuía? "Pela sensação"; é tudo o que os estoicos realmente tinham a dizer em resposta a essa pergunta. Assim como Hume[76] consi-

---

72 Diógenes Laércio, *Ibid.*, parágrafo 50, *αλλοιώσεις*.

73 Na mitologia romana, Fúrias eram entidades femininas que personificavam a vingança. (N. do E.)

74 Filho de Agamenon, rei de Micenas, e da rainha Clitemnestra. Segundo a mitologia grega, após ter matado a mãe a fim de vingar a morte do pai, Orestes foi perseguido pelas Fúrias. Como houve empate em seu julgamento, o voto de desempate dado por Atena passou a ser conhecido como Voto de Minerva. (N. do E.)

75 Eurípides, *Orestes*, 255-59

76 David Hume (1711 - 1776) foi um dos principais filósofos empiristas do período clássico. (N. do E.)

derava a diferença entre as impressões sensoriais e as ideias como residindo na maior vivacidade das primeiras, os estoicos também o faziam; apenas Hume não via necessidade de ir além da impressão, enquanto os estoicos, sim.

Eles afirmavam que certas impressões carregavam consigo uma convicção irresistível de sua própria realidade, e isso não apenas no sentido de que elas existiam, mas também no sentido de que eram sujeitas a serem referidas a uma causa exterior. Essas eram chamadas de "fantasias de apreensão"[77]. Uma fantasia desse tipo não precisava provar sua própria existência, tampouco a existência de seu objeto. Ela possuía autoevidência[78]. A ocorrência dessa fantasia de apreensão era acompanhada pela rendição e pelo consentimento por parte da alma[79]. Por certo, é tão natural para a alma assentir ao autoevidente quanto é para este buscar seu próprio bem[80].

O assentimento a uma fantasia de apreensão era chamado de "compreensão", indicando a firme ideia que a alma assumia em relação à realidade. Uma fantasia de apreensão era definida como aquela impressa e marcada a partir de um objeto existente, em virtude desse próprio objeto, de tal maneira que não poderia ser de um objeto inexistente[81]. A oração "em virtude desse próprio objeto" foi incluída na definição para prevenir um caso como o de Orestes, que, em seu estado de loucura, vê sua

77 *καταληπτικαί φαντασίαι*. Esse nome é ambíguo, e é utilizado, algumas vezes, com o sentido de "agarrar", sendo usado aqui com o sentido do controle do objeto sobre a alma, e da alma sobre o objeto. Cícero insiste duas vezes no último sendo o sentido de Zenão.

78 *ενάργεια*. Cícero, *Acadêmica*, prefácio, parágrafo 17; posfácio, parágrafo 41.

79 Diógenes Laércio, *Ibid.*, parágrafo 51, *μετὰ εἴξεως καὶ συγκαταθέσεως*.

80 Cícero, *Acadêmica*, prefácio, parágrafo 38.

81 *Ibid.* 248; Diógenes Laércio, *Ibid.*, parágrafos 46, 50; Cícero, *Acadêmica*, prefácio, parágrafos 18, 77, 112.

irmã como uma Fúria. Nesse caso, a impressão era derivada de um objeto existente, mas não do próprio objeto, e sim como alterado pela imaginação daquele que o observa.

O critério de verdade, então, não era outro senão a fantasia de apreensão. Tal era, pelo menos, a doutrina dos estoicos anteriores, mas os posteriores acrescentaram uma ressalva: "quando não há impedimento". Por certo, foram pressionados por seus opositores com casos imaginários, como o de Admeto[82] vendo sua esposa diante de si, de fato, e ainda não acreditando que fosse ela. Mas aqui havia um impedimento. Admeto não acreditava na ressurreição dos mortos. Em contrapartida, Menelau[83] não acreditou na verdadeira Helena, quando a encontrou na ilha de Faros. Mas aqui novamente havia um impedimento, já que não se poderia esperar que Menelau soubesse que ele lutara, durante dez anos, por um fantasma. Entretanto, quando não havia tal impedimento, então, diziam eles, a fantasia de apreensão realmente merecia sua denominação; pois quase pegava os homens pelos cabelos da cabeça e os arrastava para que concordassem com ela.

Até agora, referimo-nos ao termo *fantasia* apenas para impressões reais ou imaginárias dos sentidos. Mas esse conceito não foi assim restringido pelos estoicos, que dividiam as fantasias em sensíveis e não sensíveis. Estas surgiram através do entendimento e eram de coisas incorpóreas, que só podiam ser apreendidas por meio da razão[84]. As ideias de

82 Na lenda grega, Admeto era rei de Feras. Casou-se com a princesa Alceste, que se ofereceu para morrer em seu lugar quando este adoeceu. Em uma das versões, Alceste retorna dos mortos para voltar à convivência conjugal. (N. do E.)
83 Menelau, o esposo escolhido de Helena de Troia, que governou Esparta do lado da amada. (N. do E.)
84 Diógenes Laércio, *Ibid.*, parágrafo 51.

Platão, declararam, existiam apenas em nossas mentes. *Cavalo, homem* e *animal* não tinham uma existência substancial, sendo considerados fantasias da alma. Os estoicos eram, portanto, o que deveríamos chamar de conceitualistas[85].

O conceito de compreensão também foi utilizado em um sentido mais abrangente do que aquele que empregamos até então. Havia a compreensão pelos sentidos, como o do preto e branco, áspero e liso, mas também havia a compreensão pela razão de conclusões demonstrativas, como a existência dos deuses, e de que eles exercem a Providência[86]. Aqui nós somos lembrados da declaração de Locke: "Decerto existe um Deus, da mesma forma que ângulos opostos, feitos pela intersecção de duas linhas retas, são iguais"[87]. Os estoicos tinham muitas afinidades com esse pensador, ou talvez ele tivesse com os estoicos. A visão estoica de como a mente chega às suas ideias pode quase ser retirada do primeiro livro do Ensaio de Locke. São listadas nove maneiras, das quais as primeiras correspondem a ideias simples:

1. pela apresentação, como objeto dos sentidos[88];
2. pela semelhança, como a ideia de Sócrates a partir de seu retrato;
3. pela analogia, isto é, por aumento ou diminuição, como ideias de pigmeus e gigantes com base nos

85 Estobeu, Éclogas, I, parágrafo 332.
86 Diógenes Laércio, *Ibid.*, parágrafo 52.
87 John Locke, *Ensaio Acerca do Entendimento Humano,* IV, parágrafo 16.
88 Diógenes Laércio, *Ibid.*, parágrafo 53.

homens, ou da noção do centro da terra, que é obtida pela análise de esferas menores;

4. pela transposição, como a ideia de homens com olhos no peito;
5. pela composição, como a ideia do Centauro;
6. pela oposição, como a ideia da morte a partir da vida;
7. por um tipo de transição, como o significado das palavras e a noção de lugar[89];
8. pela natureza, como a noção do bom e do justo;
9. pela privação, como "maneta"[90].

Os estoicos se assemelharam a Locke novamente ao tentar dar uma definição de conhecimento que abrangesse ao mesmo tempo as informações dos sentidos e a relação entre as ideias. O conhecimento foi definido por eles como "uma compreensão segura" ou "um hábito na aceitação de fantasias que não era suscetível de ser mudado pela razão"[91]. À primeira vista, essas definições podem parecer limitadas ao conhecimento dos sentidos; mas, se considerarmos os significados mais abrangentes de *compreensão* e de *fantasia*, perceberemos que as definições se aplicam, como era esperado, não menos à apreensão da mente sobre a força de uma demonstração do que sobre a existência de um objeto físico.

89 Diógenes Laércio, *Ibid*, parágrafo 53.; Cícero, *De Natura Deorum*, I, parágrafo 105.

90 Veja mais na obra *De Finibus Bonorum et Malorum*, de Cícero, III, parágrafo 33; Diógenes Laércio, X, parágrafo 32.

91 Diógenes Laércio, *Ibid.*, parágrafo 47; Estobeu, Éclogas, II, parágrafos 128, 130; Cícero, *Acadêmica*, posfácio, parágrafo 41.

Zenão, com aquele característico toque de simbolismo oriental, costumava ilustrar aos seus discípulos, valendo-se de gestos, os passos do conhecimento. Mostrando a mão direita com os dedos estendidos, ele dizia: "Isso é uma fantasia"; depois, contraindo um pouco os dedos, dizia: "Isso é consentimento"; então, tendo fechado o punho: "Isso é compreensão"; e então, fechando o punho com a mão esquerda, ele acrescentava: "Isso é conhecimento".

Uma *noção*, que corresponde ao nosso vocábulo *conceito*, foi definida como "uma fantasia da compreensão de um animal racional". Por certo, uma noção era apenas uma fantasia da forma como se apresentava a uma mente racional. Da mesma forma, muitos xelins e soberanos são em si mesmos apenas xelins e soberanos, mas, quando usados para comprar uma passagem, eles se tornam *dinheiro de passagem*. As noções foram alcançadas em parte pela natureza, em parte pelo ensino e pelo estudo. O primeiro tipo de noção era chamado de "prejulgamentos", enquanto o último era apenas conhecido pelo nome genérico[92].

A partir das ideias gerais transmitidas a nós pela natureza, a razão era aperfeiçoada por volta dos quatorze anos de idade, na época em que a voz — seu sinal externo e visível — atinge seu pleno desenvolvimento, e quando o animal humano está completo em outros aspectos, sendo capaz de reproduzir sua espécie[93]. Assim, a razão, que nos unia aos deuses, não era, segundo os estoicos, um princípio preestabelecido, mas um desenvolvimento gradativo a partir dos

92 Cícero, *Acadêmica,* prefácio, parágrafos 21, 22; *De Finibus Bonorum et Malorum,* V, parágrafo 59; III, parágrafo 33.
93 Estobeu, Éclogas, I, 792.

sentidos. Pode-se realmente dizer que, para eles, os sentidos eram o intelecto[94].

O ser estava, segundo os estoicos, confinado ao corpo; uma afirmação ousada da qual veremos as consequências posteriormente. Por agora, basta notar o estrago que ela causa entre as categorias. Das dez categorias de Aristóteles, resta apenas a primeira, a Substância, e isso apenas em seu sentido mais limitado de Substância Primária. Mas uma substância, ou corpo, pode ser considerada de quatro maneiras:

(1) simplesmente como um corpo;

(2) como um corpo de uma espécie em particular;

(3) como um corpo em um estado em particular;

(4) como um corpo em uma relação em particular.

Daí surgem as quatro categorias estoicas de: substratos, semelhantes, assim dispostos, e assim relacionados[95].

Mas o incorpóreo não seria, assim, eliminado da existência. Nesse caso, o que deveria ser feito de coisas como o significado das palavras, o tempo, o lugar e o vazio infinito? Os estoicos não atribuíram corpo a essas coisas, muito embora elas precisassem ser reconhecidas e tratadas. Tal dificuldade foi superada pela invenção da categoria superior de "algo", que deveria incluir tanto o corpo quanto o incorpóreo. O

94 Cícero, *Acadêmica*, prefácio, parágrafo 30.

95 *ὑποκείμενα, ποιά, πὼς ἔχοντα, πρός τι πὼς ἔχοντα.*

tempo era um "algo" e o espaço também, embora nenhum deles possuísse ser[96].

No tratamento estoico da proposição, a gramática estava, em grande medida, misturada à lógica. Possuíam um nome abrangente, que podia se referir a qualquer parte da fraseologia, fosse uma ou mais palavras, uma frase ou mesmo um silogismo[97]. Vamos traduzir isso por "dicto". Um dicto foi, então, definido como "aquilo que subsiste em correspondência com uma fantasia racional"[98].

Um dicto era uma das coisas que os estoicos admitiam ser desprovidas de corpo. Quando uma coisa era dita, três aspectos estavam em jogo: o som, o sentido e o objeto externo. Destes, o primeiro e o último eram corpos, mas o intermediário não era um corpo. Isso podemos ilustrar, conforme Sêneca, da seguinte maneira: Você vê Catão andando. O que seus olhos veem e o que a sua mente apreende é um corpo em movimento. Logo você diz: "Catão está andando". O mero som dessas palavras é o ar em movimento e, portanto, um corpo, mas o significado delas não é um corpo, e sim uma expressão oral a respeito de um corpo, o que é bem diferente[99].

Ao examinar os detalhes que nos restam da lógica estoica, a primeira coisa que enternece é sua extrema complexidade em comparação com a lógica de Aristóteles. Era um período escolástico, e os estoicos produziam distinções aos montes. No que diz respeito à inferência imediata, um assunto que se deparou com sutileza entre nós, Crisipo estimou que as

---

96 Diógenes Laércio, *Ibid.*, parágrafos 140, 141; Estobeu, *Éclogas*, I, parágrafo 392; Sêneca, carta 58, parágrafos 13, 15.
97 Diógenes Laércio, *Ibid.*, parágrafo 63.
98 *Ibid.*
99 Sêneca, carta 117, parágrafo 13.

mudanças que poderiam ocorrer em dez proposições superavam o número de um milhão, mas por essa afirmação ele foi repreendido por Hiparco[100], o matemático, que provou que a proposição afirmativa rendeu exatamente 103.049 formas e a negativa 310.952. No que nos diz respeito, a proposição afirmativa é mais prolífica em consequências do que a negativa. Mas os estoicos não se contentavam com uma coisa tão simples como a mera negação, sendo que passaram a utilizar proposições negativas, arnéticas e privativas, para não falar das proposições supernegativas. Outra característica notável é a ausência total das três figuras de Aristóteles; e os únicos modos mencionados são os do silogismo complexo, como o *modus ponens* em uma conjuntiva. Seu tipo de raciocínio era:

Se A, então B.

Mas A.

∴ B.

O importante papel das proposições conjuntivas em sua lógica levou os estoicos a elaborarem a seguinte regra no que diz respeito à qualidade material dessas proposições: a verdade só pode ser seguida pela verdade; mas a falsidade pode ser seguida por falsidade ou verdade.

Portanto, se for verdadeiramente afirmado que é dia, qualquer consequência dessa afirmação, por exemplo, que é

100 Hiparco de Nicéia (127 d.C. - ?), astrônomo e matemático grego que fez contribuições substanciais para o avanço das ciências matemáticas e da astronomia. (N. do E.)

luz, também deve ser tida como verdade. Mas uma declaração falsa pode levar a um resultado ou outro. Por exemplo, se for afirmado falsamente que é noite, então a consequência de que está escuro também passa a ser falsa. Mas se dissermos: "A Terra voa", o que era encarado não apenas como falso, mas impossível[101], isso envolve a verdadeira consequência de que a Terra existe. Apesar de não haver menção ao silogismo simples no esboço que Diógenes Laércio provê da lógica estoica, ocorre repetidamente nos relatos que nos deixaram de seus argumentos. Consideremos, por exemplo, o silogismo com o qual Zenão defendeu a causa da temperança:

Não se confia um segredo a um homem bêbado.

Confia-se um segredo a um homem bom.

∴ Um bom homem não ficará bêbado.

O argumento em cadeia, que erroneamente chamamos de Sorites, também era um recurso favorito dos estoicos. Se um único silogismo não fosse suficiente para argumentar, junto aos homens, em prol da virtude, certamente uma série condensada deveria ser eficaz! E, desse modo, eles demonstraram a suficiência da sabedoria para a felicidade da seguinte forma:

O homem sábio é moderado;

O moderado é persistente;

101 Aqui podemos nos lembrar do aviso de Arago que nos dizia para não chamar nada de impossível fora do campo da matemática pura.

O persistente é imperturbável;

O imperturbável é livre de amargores;

Aquele que é livre de amargores é feliz.

∴ O homem sábio é feliz[102].

O que está acima servirá como exemplar de argumentos puramente verbais, os quais os estoicos se compraziam de passar à frente. Cícero aprecia a comparação do método estoico a espinhadas e alfinetadas, que irritam o exterior sem ter nenhum efeito vital[103]. Se a lógica era sua força, era também sua fraqueza; pois, por não sustentarem a sua convicção de que a lógica é relacionada com a verdade absoluta das coisas, nós os assistimos a se satisfazerem nas formas mais puras da razão, contentando-se em jogar o jogo com fichas em vez de moedas.

O júbilo que os primeiros estoicos encontravam nesse puro jogo intelectual levou-os a se lançarem ávidos sobre o abundante estoque de falácias em circulação entre os gregos da época. A maioria delas parece ter sido inventada pelos Megáricos[104], especialmente por Eubulides de Mileto[105], discípulo de Euclides[106], mas acabaram se associando aos estoicos tanto por amigos quanto por inimigos, que elogiavam

102 Sêneca, carta 85, parágrafo 2; Cícero, *Discussões Tusculanas,* III, parágrafo 18.

103 Cícero, *De Finibus Bolorum et Malorum,* IV, parágrafo 7; *Discussões Tusculanas,* II, parágrafo 42; *Paradoxa Stoicorum,* introdução, parágrafo 2.

104 Adeptos da escola filosófica Mégara, criada por Euclides de Mégara. (N. do E.)

105 Eubulides de Mileto, seguidor da escola de filosofia Megariana.

106 Euclides de Mégara (c. 435 a.C. - 365 a.C.), fundador da escola de filosofia megariana. (N. do E.)

sua sutileza ou ridicularizavam sua solenidade ao se depararem com elas. O próprio Crisipo não se censurava a propor sofismas como estes:

Aquele que divulga os mistérios aos não iniciados comete impiedade.

O hierofante divulga os mistérios aos não iniciados.

∴ O hierofante comete impiedade.

Tudo o que você diz passa pela sua boca.

Você diz "carroça".

∴ Uma carroça passa pela sua boca.

Diz-se que ele escreveu onze livros sobre a falácia do "ninguém". No entanto, o que parece ter exercitado a maior parte de sua engenhosidade foi o famoso Paradoxo do Mentiroso, cuja invenção é atribuída a Eubulides[107]. Essa falácia, em sua forma mais simples, é a seguinte: se você diz verdadeiramente que está contando uma mentira, você está mentindo ou falando a verdade? Crisipo considerou isso como algo inexplicável.

Contudo, ele estava longe de recusar-se a discuti-lo, uma vez que encontramos, na lista de suas obras, um tratado em cinco livros sobre os Inexplicáveis, uma Introdução ao Mentiroso e aos Mentirosos; seis livros sobre o próprio

107 Cícero, *Divinatio in Caecilium*, II, parágrafo 11; Diógenes Laércio, II, parágrafo 108.

Mentiroso, uma obra contrária àqueles que sustentavam que tais proposições eram tanto falsas quanto verdadeiras; outra contra os que afirmavam resolver o Mentiroso por meio de um processo de divisão; três livros a respeito da solução do Mentiroso; e, por fim, uma polêmica contra os que sustentavam que o Mentiroso tinha suas premissas falsas[108]. Foi bom para o pobre Filetas de Cós que ele tenha encerrado seus dias antes do nascimento de Crisipo, ainda que ele tenha ficado magro e morrido por causa do Mentiroso, e seu epitáfio tido como um lembrete aos poetas para não intervirem na lógica...

"Filetas de Cós eu sou,

Foi o Mentiroso que me matou,

e as noites ruins que ele causou."

Talvez devamos a ele um pedido de desculpas pela tradução.

---

108 Diógenes Laércio, *Ibid.*, parágrafos 96 - 98.

CAPÍTULO IV

ÉTICA

Já foi preciso abordar a psicologia dos estoicos ligada aos primeiros princípios da lógica. É igualmente necessário fazê-lo, agora, ao lidar com os fundamentos da ética.

Os estoicos, foi-nos dito, afirmavam que havia oito partes da alma. Essas partes eram os cinco sentidos, o órgão do som, o intelecto e o princípio reprodutivo[109]. É importante observar claramente que as paixões eram ausentes, uma vez que, segundo a teoria estoica, as paixões eram o intelecto em um estado doentio causado pelas perversões da falsidade. É por isso que os estoicos não se envolviam com as paixões, pois acreditavam que, se uma vez permitidas na cidadela da alma, elas dominariam o governante legítimo. Paixão e razão não eram duas coisas separadas, nas quais se poderia esperar que a razão dominasse a paixão, mas eram dois estados da mesma coisa — um pior e um melhor[110].

O intelecto imperturbável era o monarca legítimo no reino do ser humano. Portanto, os estoicos frequentemente o chamavam de "o princípio condutor"[111]. Essa era a parte da alma que recebia as fantasias e também era aquela na qual os

---

109 Diógenes Laércio, *Ibid.*, parágrafos 110, 157; Fílon, II, parágrafo 506; *De Incorruptibilitate Mundi,* parágrafo 19.

110 Sêneca, *Sobre a Ira,* I, *Ibid.*I, parágrafos 2, 3.

111 Cícero, *De Natura Deorum,* II, parágrafo 29; Diógenes Laércio, *Ibid.*, parágrafos 133, 139, 159; Sêneca, carta 121, parágrafo 13.

impulsos eram criados[112], com os quais temos, agora, muito mais em comum.

O impulso ou apetite era o princípio na alma que impelia à ação[113]. Em um estado não pervertido, ele era direcionado apenas às coisas em conformidade com a natureza[114]. A forma negativa desse princípio, ou seja, evitar as coisas por serem contrárias à natureza, chamaremos de "repulsão"[115].

Apesar das alturas sublimes alcançadas pela moralidade estoica, ela era professadamente baseada no amor próprio; ponto no qual os estoicos estavam em acordo com as outras escolas de pensamento do mundo antigo.

O primeiro impulso que aparecia em um animal recém-nascido era o de proteger a si mesmo e sua própria constituição, que lhe eram conciliadas pela natureza[116]. O que contribuía para a sua sobrevivência, ele buscava; o que contribuía para a sua destruição, ele evitava. Dessa maneira, a autopreservação era a primeira lei da vida.

Enquanto o homem ainda estava no estágio meramente animal, e antes que a razão se desenvolvesse nele, as coisas que estavam de acordo com sua natureza eram tais como saúde, força, boa condição corporal, solidez de todos os sen-

112 Diógenes Laércio, *Ibid.*, parágrafo 159.

113 Cícero, *Ofícios,* I, parágrafos 101, 132.

114 Cícero, *De Finibus Bonorum et Malorum,* IV, parágrafo 39; V, parágrafo 17; *Acadêmica,* prefácio, parágrafo 24; *Ofícios,* II, parágrafo 18; I, parágrafo 105; Sêneca, carta 124, parágrafo 3; carta 113, parágrafos 2, 18; carta 121, parágrafo 13.

115 Diógenes Laércio, *Ibid.*, parágrafo 104; Estobeu, Éclogas, II, parágrafos 142, 144, 148, 162; Cícero, *De Finibus Bonorum et Malorum,* V, parágrafo 18; *De Natura Deorum,* II, parágrafo 34.

116 Diógenes Laércio, *Ibid.*, parágrafo 85; Cícero, *De Finibus Bonorum et Malorum,* III, parágrafo 16; IV, parágrafo 25; V, parágrafo 24; Sêneca, carta 82, parágrafo 15; carta 121, parágrafo 14.

tidos, beleza e vivacidade — em suma, todas as qualidades que compunham a riqueza da vida física e que colaboravam para a harmonia vital. Estas foram chamadas de "as primeiras coisas de acordo com a natureza"[117].

Seus opostos eram todos contrários à natureza, tais como doença, fraqueza e mutilação[118]. Junto às primeiras coisas de acordo com a natureza vieram as vantagens congênitas da alma, entre as quais a astúcia, habilidade natural, diligência, dedicação, memória e semelhantes. Era uma questão controversa saber se o prazer deveria ser incluído entre essas vantagens. Alguns membros da escola evidentemente pensaram que sim, mas a opinião ortodoxa dizia que o prazer era uma espécie de ramo, e sua busca direta era danosa para o organismo. Os ramos da virtude eram a felicidade, a alegria e coisas do gênero.

Esses eram os gracejos do espírito, como as brincadeiras de um animal no auge de sua vitalidade, ou como o desabrochar de uma planta. Por certo, o mesmo poder se manifestou em todas as classes da natureza, apenas em um nível superior a cada estágio. Aos poderes vegetativos da planta, o animal acrescentou sentido e impulso; estava, portanto, de acordo com a natureza de um animal obedecer aos impulsos dos sentidos; mas aos impulsos e sentidos o homem acrescentou a razão, de modo que, quando ele se tornou consciente de si mesmo enquanto um ser racional, estava de acordo com sua natureza deixar todos os seus impulsos serem controlados por essa nova autoridade.

---

117 Cícero, *De Finibus Bonorum et Malorum*, III, parágrafos 17, 21, 22; V, parágrafo 18.

118 Estobeu, Éclogas, II, parágrafo 44; Cícero, *De Finibus Bonorum et Malorum*, V, parágrafo 18.

A virtude estava, portanto, preeminentemente de acordo com a natureza. Devemos perguntar agora, então: qual é a relação da razão com o impulso conforme concebida pelos estoicos? A razão é simplesmente o guia e o impulso da força motriz? Sêneca protesta contra essa visão, quando o impulso é identificado com a paixão. Um de seus motivos para isso é que a razão seria colocada no mesmo nível da paixão, se ambas fossem igualmente necessárias para a ação. Mas a pergunta é feita devido ao uso da palavra *paixão*, que foi estabelecida pelos estoicos como "um impulso excessivo".

Seria possível, então, mesmo em princípios estoicos, que a razão trabalhe sem algo diferente de si mesma para ajudá-la? Ou devemos dizer que a razão, por si só, é um princípio de ação? Aqui Plutarco chega em nosso auxílio, e nos diz — sobre a autoridade de Crisipo em seu trabalho sobre Direito — que o impulso é "a razão do homem ordenando-o a agir", da mesma forma que a repulsão é "razão proibitiva".

Isso torna a posição estoica inconfundível, e devemos adaptar as nossas mentes a ela, apesar de suas dificuldades. Assim como já vimos que a razão não é algo radicalmente diferente dos sentidos, então agora parece que a razão não é diferente do impulso, mas sua própria forma aperfeiçoada. Sempre que o impulso não é idêntico à razão — pelo menos em um ser racional — não é de fato um impulso, mas uma paixão.

Os estoicos, será observado, eram evolucionistas em sua psicologia. Mas, como muitos evolucionistas atualmente, eles não acreditavam na origem da mente fora da matéria. Em todos os seres vivos, já existiam o que eles chamavam de "razões seminais", que dava vazão à inteligência exibida por plantas e animais.

Assim como havia quatro virtudes cardeais, havia também quatro paixões primárias, a saber: o deleite, a tristeza, o desejo e o medo. Todas eram excitadas pela presença, ou a perspectiva, de um bem ou mal imaginados. O que provocava o desejo por sua perspectiva, causava prazer por sua presença, e o que levava ao medo por sua perspectiva, causava tristeza por sua presença.

Dessa maneira, duas das paixões primárias estavam relacionadas com o bem, e duas com o mal. Todas eram fúrias que invadiam a vida dos tolos, tornando-a amarga e dolorosa para eles; e era o ofício da filosofia lutar contra elas.

Esse conflito não era sem esperança, já que as paixões não foram fundamentadas na natureza, mas eram devidas a uma opinião falsa. Elas se originaram de julgamentos voluntários, e deviam seu nascimento à falta de sobriedade mental. Se os homens desejavam viver o período de vida que lhes foi atribuído em tranquilidade e paz, eles deviam, por todos os meios, manter-se afastados das paixões.

Com as quatro paixões primárias estabelecidas, fez-se necessário explicar a divisão, organizando as formas específicas de sentimento sob essas quatro divisões. Nesse encargo, os estoicos exibiram uma sutileza que é mais interessante para o lexicógrafo do que para o estudante da filosofia. Eles colocaram grande ênfase na derivação das palavras a fim de proporcionar uma pista para o seu significado; e, como sua etimologia não estava vinculada a princípio algum, sua engenhosidade os deixava livres para entregarem-se às maiores loucuras da fantasia.

Embora toda a paixão permanecesse condenada a si mesma, havia, no entanto, certas *eupatias*, ou paixões felizes, que seriam vivenciadas pelo homem idealmente bom e sábio. Essas não eram perturbações da alma, mas *constâncias*; não eram contrárias à razão, mas faziam parte dela. Embora o sábio nunca fosse arrebatado de prazer, ele ainda sentiria uma *alegria* permanente na presença do verdadeiro e unicamente bom; nunca estaria realmente agitado pelo desejo, mas ainda assim seria animado pela "vontade", pois esta era direcionada apenas ao bem; e, embora ele nunca sentisse *medo*, ainda assim seria acionado em perigo por uma *cautela* adequada.

Portanto, havia algo racional correspondente a três das quatro paixões primárias — contra o prazer, deveria ser introduzida a alegria; contra o desejo, a vontade; contra o medo, a cautela; Mas, contra o pesar, não havia nada a ser introduzido, pois isso surgiu da presença do mal, o que nunca estaria vinculado ao sábio. A tristeza era a convicção irracional de que seria preciso afligir-se, quando não havia ocasião para isso. O ideal dos estoicos era a serenidade constante de Sócrates, o qual, segundo Xântipe, conservava sempre o mesmo semblante, fosse ao sair de casa pela manhã ou ao retornar à noite.

Assim como a multidão heterogênea de paixões seguia os estandartes de seus quatro líderes, as formas particulares de sentimentos sancionadas pela razão foram atribuídas às três eupatias.

As coisas foram divididas por Zenão como boas, más e indiferentes. Às boas pertenciam a virtude e o que participava dela; às coisas más, o vício e o que participava dele. Todas as outras coisas eram indiferentes.

À terceira classe pertenciam coisas como a vida e a morte, a saúde e a doença, o prazer e a dor, a beleza e a feiura, a força e a fraqueza, a honra e a desonra, a riqueza e a pobreza, a vitória e a derrota, a nobreza e a qualidade do nascimento[119].

O bem foi definido como o que traz benefícios[120]. Conferir benefícios não era menos fundamental para o bem do que transmitir calor para aquecer[121]. Se alguém questionava o que significava "beneficiar-se", recebia a resposta de que era a produção de um ato ou estado de acordo com a virtude; e da mesma forma, foi estabelecido que "prejudicar" correspondia à produção de um ato ou estado de acordo com o vício[122].

A indiferença de coisas que não a virtude e o vício ficava evidente com base na definição do bem, o que a tornava essencialmente benéfica. Coisas como saúde e riqueza poderiam ser ou não benéficas, de acordo com as circunstâncias; Por conseguinte, as coisas não eram nem boas nem ruins, o fato de se caracterizar como um bem ou um mal dependia do uso que da coisa se fazia, mas este era o caso de assuntos como saúde e riqueza.

O bem, identificando-se com a virtude, não deixa margem para nenhum conflito entre o certo e o conveniente. Neste ponto, a doutrina estoica era muito explícita. O bem era conveniente, adequado, proveitoso, útil, prático, bonito, benéfico, elegível e justo. Esses vários predicados foram estabelecidos, em geral, conforme sua etimologia, a fim de evitar

119 Diógenes Laércio, *Ibid.*, parágrafo 102; Estobeu, *Éclogas*, II; Epíteto, *Discursos*, II, 9, parágrafo 13.
120 Diógenes Laércio, *Ibid.*, parágrafo 94.
121 *Ibid.*, parágrafo 103.
122 *Ibid.*, parágrafo 104.

a acusação de um deles como mero sinônimo do outro. Seus contrários eram todos oportunos ao mal.

O verdadeiro e o único bem, por consequência, era idêntico ao que os gregos denominavam como "o belo", e o que chamamos de "o certo". Logo, afirmar que uma coisa era certa era dizer que era boa e, inversamente, dizer que era boa era dizer que estava certa. Essa identidade absoluta entre o bem e o certo, assim como entre o mal e o errado, era a principal característica da ética estoica. O certo continha em si tudo o que era preciso para a vida feliz; O errado era o único mal, e este causava a infelicidade dos homens, soubessem eles disso ou não[123].

Como a virtude em si era o objetivo, ela era, obviamente, a melhor escolha por si só, independentemente da esperança ou do medo em relação às suas consequências. Além disso, como sendo o bem maior, não poderia admitir qualquer aumento a partir do acréscimo de coisas indiferentes. Nem mesmo admitia a intensificação por conta do prolongamento de sua própria existência; pois a questão não era quantidade, mas qualidade. Uma virtude por toda a eternidade não era mais uma virtude e, portanto, não era melhor do que a virtude por um momento. Da mesma forma, um círculo não seria mais redondo que outro, independentemente de seu diâmetro; nem prejudicaria sua perfeição caso fosse apagado imediatamente na mesma poeira em que havia sido desenhado.

123 Diógenes Laércio, *Ibid.*, parágrafo 101; Cícero, *Acadêmica*, posfácio, parágrafos 7, 35; *Discussões Tusculanas*, III, parágrafo 34; *Ofícios*, III, parágrafos 11, 35; Sêneca, carta 71, parágrafo 4.

Dizer que o bem dos homens estava na virtude era outra maneira de afirmar que estava na razão, já que a virtude era a perfeição da razão.

Como a razão era a única coisa pela qual a natureza havia distinguido o homem de outras criaturas, para viver a vida racional, era necessário seguir a Natureza[124].

A Natureza era, simultaneamente, a lei de Deus e a lei do homem[125]. Por certo, pela natureza de qualquer coisa se entendia, não aquilo que realmente achamos ser, mas o que, no ajuste eterno das coisas, obviamente pretendia se tornar.

Desse modo, ser feliz significava ser virtuoso; ser virtuoso era ser racional; ser racional era seguir a Natureza; e seguir a Natureza era obedecer a Deus. A virtude transmitia à vida o mesmo o fluxo uniforme que Zenão declarou como felicidade. Isso era alcançado quando o próprio gênio do indivíduo estava em harmonia com a vontade que dispunha sobre todas as coisas[126].

Uma vez purificada de toda a escória das emoções, a virtude revelava algo essencialmente intelectual, de maneira que os estoicos estavam de acordo com a concepção de Sócrates de que a virtude é conhecimento. Eles também assumiram de Platão as quatro virtudes cardeais: sabedoria, temperança, coragem e justiça —, e as designaram como muitas ramificações do conhecimento. Contra estas foram estabelecidos quatro vícios cardeais: insensatez, intemperança, covardia e injustiça. Tanto nas virtudes quanto nos vícios, havia uma classificação estruturada de qualidades específicas.

---

124 Sêneca, carta 66, parágrafo 39.
125 Cícero, *Ofícios*, III, parágrafo 23.
126 Diógenes Laércio, *Ibid.*, parágrafo 88.

Mas, apesar dos cuidados com os quais os estoicos dividiram e subdividiram as virtudes, a virtude era, de acordo com sua doutrina, sempre única e indivisível. Em síntese, a virtude era simplesmente a razão, e a razão, quando presente, deveria controlar todos os departamentos referentes à conduta. "Aquele que possui uma virtude possui todas", foi um paradoxo familiar ao pensamento grego. Mas Crisipo foi além, afirmando que "aquele que exibia uma virtude exibia todas".

Tanto não seria perfeito o indivíduo, por não possuir todas as virtudes, quanto não seria perfeito o ato que não abrangesse todas elas. As virtudes diferiam umas das outras apenas na ordem em que colocavam as coisas. Cada uma era, em primeiro lugar, ela própria, e, em segundo lugar, todas as demais. A sabedoria deveria estabelecer o que era correto fazer, mas isso compreendia as outras virtudes.

A moderação deveria transmitir estabilidade aos impulsos, mas como o termo "moderado" poderia ser aplicado a um homem que abandonou seu posto através da covardia, ou que não conseguiu devolver um pagamento por conta da avareza, que é uma maneira de injustiça, ou ainda a alguém que conduziu mal seus assuntos por imprudência, o que condiz com a imprudência? A coragem deveria enfrentar perigos e barreiras, mas não seria a coragem em si, a não ser por uma causa justa. Na realidade, uma das formas pelas quais foi definida seria como a "virtude lutando em nome da justiça"[127]. De forma semelhante, a justiça começava conferindo a cada indivíduo o que lhe era cabia, mas, com isso, precisava incluir as outras virtudes.

---

127 Cícero, *Ofícios,* I, parágrafo 62.

Em suma, era tarefa do homem virtuoso saber e fazer o que deveria ser feito; pois o que deveria ser feito implicava sabedoria na escolha, coragem na persistência, justiça na atribuição e equilíbrio ao se manter nas próprias convicções[128]. Uma virtude nunca trabalhava sozinha, mas a partir dos conselhos de um comitê[129]. O anverso a esse paradoxo — "Aquele que possui um vício possui todos os vícios" — era uma conclusão recorrente dos estoicos[130]. Seria possível perder parte de sua louça coríntia e, ainda assim, manter o resto; mas perder uma virtude — se é que poderia ser perdida — seria perder tudo o que vinha com ela.

Encontramos agora o primeiro paradoxo do estoicismo, e podemos discriminar sua origem na identificação da virtude com a razão pura. Ao estabelecer as inovações nas palavras de Zenão, Cícero aponta que, embora seus antecessores tivessem reconhecido as virtudes como derivadas da natureza e do hábito, ele julgava que todas dependiam da razão[131]. Uma consequência disso foi a reafirmação da colocação mantida por Platão, ou que desejava manter, de que a virtude poderia ser ensinada. Mas o papel da natureza na virtude não pode ser desconsiderado. Zenão não tinha poder para alterar os fatos; tudo o que estava ao seu alcance era legislar no que correspondia à sua terminologia, o que executou com afinco.

Não deveria ser chamado de virtude nada que não possuísse a natureza da razão e do conhecimento, mas ainda assim era admitido que a natureza fornecia os pontos de partida para as quatro virtudes cardeais — para a descoberta do

128 Diógenes Laércio, *Ibid.*, parágrafo 126.
129 Sêneca, carta 67, parágrafo 10.
130 Estobeu, Éclogas, II, parágrafo 216.
131 Cícero, *Acadêmica*, posfácio, parágrafo 38.

dever e a constância dos impulsos de cada um; em prol da resiliência correta e da divisão equilibrada. Na natureza se encontravam as sementes, embora a colheita tenha sido feita pelo sábio; dela eram as faíscas, embora o fogo fosse posto em chamas somente pelo ensinamento.

Das coisas boas e más, agora nos voltamos para as indiferentes. Até agora, a doutrina estoica tem sido severa e intransigente. Faz-se necessário, agora, olhar para ela sob um outro ponto de vista, e perceber como tentou conciliar o senso comum.

Por coisas indiferentes entende-se aquelas que não necessariamente contribuem para a virtude, por exemplo: saúde, riqueza, força e honra. É possível ter tudo isso e não ser virtuoso; é possível também ser virtuoso sem nenhuma delas. Mas agora temos que aprender que, embora essas coisas não sejam nem boas nem más e, portanto, não sejam motivo de escolha ou evitamento, elas estão longe de serem indiferentes no sentido de não despertarem nem impulso nem repulsa. De fato, há coisas que são indiferentes neste último sentido, como estender o dedo para um lado ou para o outro, abaixar-se para pegar uma palha ou não, ter os fios de cabelo da cabeça em número ímpar ou par. Mas coisas desse tipo são exceção. A grande maioria das coisas que não são virtude ou vício despertam em nós impulso ou repulsa. Entende-se, em vista disso, que há dois sentidos para a palavra *indiferente*:

(1) Nem bom nem mau,

(2) Que não estimula impulso nem repulsa.

Entre as coisas indiferentes no primeiro sentido, algumas estavam de acordo com a natureza, algumas eram contrárias à natureza e algumas não eram nem uma coisa nem outra. Saúde, força e solidez dos sentidos estavam de acordo com a natureza; doença, fraqueza e mutilação eram contrárias à natureza; mas coisas como a falibilidade da alma e a vulnerabilidade do corpo não estavam nem de acordo nem contrárias a ela, eram apenas a natureza.

Todas as coisas que estavam de acordo com a natureza tinham *valor*, e todas as coisas que lhe eram contrárias tinham o que devemos chamar de *desvalor*. De fato, no sentido mais elevado do termo *valor,* designadamente valor ou mérito, as coisas indiferentes não possuíam nenhum valor. Mas ainda pode ser atribuído a eles o que Antípatro[132] expressou pelo termo "um valor seletivo", ou o que ele expressou usando o barbarismo "um desvalor disseletivo". Se algo possui um valor seletivo, você tomaria essa coisa preferencialmente ao seu contrário, supondo que as circunstâncias permitissem, por exemplo, saúde ao invés de doença, riqueza ao invés de pobreza, vida ao invés de morte. Portanto, essas coisas foram chamadas de *tomáveis* e seus contrários de *intomáveis*. As coisas que possuíam um alto grau de valor foram chamadas de *preferidas*, e aquelas que possuíam um alto grau de desvalor, de *rejeitadas*.

As que não possuíam um grau relevante de nenhum dos dois termos não eram *preferidas* nem *rejeitadas*. Zenão, criador de tais terminologias, justificou seu uso sobre coisas realmente indiferentes com base no fato de que, na corte,

132 Antípatro de Tarso (c. ? - 130/129 a.C.) foi discípulo e sucessor de Diógenes da Babilônia na escola estoica. (N. do E.)

a *preferência* não podia ser concedida ao próprio rei, mas apenas a seus ministros.

As coisas preferidas e rejeitadas podem se referir à mente, ao corpo ou à condição social. Entre as coisas preferidas, no caso da mente, destacavam-se a habilidade natural, a arte, o progresso moral e coisas semelhantes, enquanto seus contrários eram rejeitados. No caso do corpo, a vida, a saúde, a força, sua boa constituição, a completude e a beleza eram preferidas, enquanto a morte, a doença, a fraqueza, a má constituição, a mutilação e a feiura eram rejeitadas. Entre as coisas externas à alma e ao corpo, a riqueza, a reputação e a nobreza eram preferidas, enquanto a pobreza, a má reputação e o nascimento indigno eram rejeitados.

Dessa forma, todos os bens mundanos e comercializáveis, depois de terem sido solenemente recusados pelos estoicos na porta da frente, eram contrabandeados em uma espécie de entrada para comerciantes com o nome de coisas indiferentes. Devemos agora ver como eles tinham, verdadeiramente, dois códigos morais, um para o sábio e outro para o mundo em geral.

Apenas o sábio podia agir corretamente, mas outras pessoas poderiam agir conforme "as conveniências"[133]. Qualquer um pode honrar seus pais, mas somente o sábio o faz como resultado da sabedoria, porque somente ele possuía a arte de viver, cujo trabalho específico era fazer tudo o que era feito como resultado da melhor disposição possível. Todos os atos do sábio eram "conveniências perfeitas", que eram chamadas de *acertos*. Todos os atos de todos os outros

133 *τὰ καθήκοντα.*

homens eram pecados ou *desacertos*. Na melhor das hipóteses, eles só poderiam ser "conveniências intermediárias". O termo *conveniência*, então, é generalizado. Mas, como frequentemente acontece, o termo generalizado foi limitado para um significado particular, de modo que os atos intermediários são comumente referidos como *conveniências* em oposição aos *acertos*. Alguns exemplos de *acertos* estão em mostrar sabedoria e agir com justiça; enquanto exemplos de *conveniência*, ou atos intermediários, são: casar-se, ir a uma embaixada, e a dialética.

A palavra *dever* é frequentemente utilizada para traduzir o termo grego que aqui dizemos *conveniência*. Qualquer tradução não passa de uma escolha de males, já que não temos um equivalente real para o termo. Era aplicável não apenas à conduta humana, mas também às ações dos animais inferiores e até ao crescimento das plantas. Agora, além de uma mania de generalização, dificilmente deveríamos culpar as palavras de Wordsworth[134] sobre a moralidade do dever em *Ode to Duty* por aqueles que, apesar de corresponderem ao estímulo, não são capazes de realmente compreender o conteúdo; ainda assim, a criatura em sua forma rudimentar está exibindo uma fraca analogia com o dever. O termo em questão foi usado pela primeira vez por Zenão, e foi explicado por ele, de acordo com sua etimologia, para significar o que correspondia a alguém fazer, de maneira que, no que a isso concerne, "conveniência" seria a tradução mais adequada.

134 William Wordsworth (1770 - 1850), poeta inglês. Seus escritos contribuíram para o advento do movimento romântico inglês. (N. do E.)

A esfera da conveniência estava confinada às coisas indiferentes[135], de modo que havia conveniências comuns ao sábio e ao tolo. Tinha relação com o tomar o que estava de acordo com a natureza e rejeitar o que não estava. Mesmo a conveniência de viver ou morrer foi estabelecida, não por alusão à virtude ou ao vício, mas pelo predomínio ou pela escassez das coisas de acordo com a natureza. Desse modo, pode ser adequado ao sábio, apesar de sua felicidade, partir da vida por sua própria vontade, e para o tolo, apesar de sua miséria, permanecer nela. A vida, sendo indiferente em si mesma, era toda uma questão de conveniência. A sabedoria poderia induzir a própria partida, se a ocasião parecer exigir isso.

Como os homens em geral estavam muito longe de serem sábios[136], é incontestável que, se a moralidade estoica tinha como objetivo afetar o mundo em geral, precisava se adequar de alguma forma às circunstâncias. É possível que nenhum tratado moral tenha desempenhado uma influência tão difundida quanto aquele que era conhecido por nossos antepassados sob o título de *Tully's Offices*[137]. Ora, essa obra se baseia em Panécio[138], um estoico pouco ortodoxo, e não pretende abordar a moralidade ideal, mas apenas as conveniências intermediárias (*Ofícios*, III. parágrafo 14). Pode-se notar, também, que, nessa obra, a tentativa de se tratar a virtude como uma e indivisível é abandonada por ser inapropriada à inteligência popular (*Ofícios*, II. parágrafo 35).

135 Cícero, *De Finibus Bonorum et Malorum*, III, parágrafo 59.

136 Cícero, *Ofícios*, I, parágrafo 46.

137 *Tully's Offices* seria outro nome para os *Ofícios* de Cicero, cujo nome completo é Marco Túlio Cícero. (N do R.)

138 Panécio de Rodes (c. 180 - 110 a.C.), discípulo de Antípatro de Tarso, conferiu ao estoicismo um rumo mais próximo às ideias do platonismo e do aristotelismo. (N. do E.)

Sigamos agora a outro caso de ajuste. Conforme a alta doutrina estoica, não havia meio-termo entre virtude e vício. Todos os homens, de fato, receberam da natureza os pontos de partida para a virtude, mas até que a perfeição fosse alcançada, mantinham-se sob a condenação do vício. Era, para usar uma ilustração do poeta-filósofo Cleantes, como se a Natureza tivesse começado uma linha iâmbica e deixado que os homens a terminassem. Até que isso fosse concluído, eles deveriam usar o chapéu de bobo. Os peripatéticos, ao contrário, admitiam um estado intermediário entre a virtude e o vício, para o qual conferiram o nome de *progresso* ou *proficiência*. No entanto, os estoicos, para fins práticos, aceitaram tão inteiramente esse nível inferior, que a palavra *proficiência* passou a ser mencionada como se fosse de proveniência estoica.

Sêneca gosta da comparação do sábio com o proficiente[139]. O sábio é como um homem gozando de perfeita saúde, enquanto o proficiente é como um homem se recuperando de uma grave enfermidade, para quem a redução da agonia é equivalente à saúde, e que sempre corre o risco de sofrer uma recaída. Está sob o encargo da filosofia suprir as carências desses irmãos mais fracos.

O proficiente ainda é chamado de imprudente, mas é apontado como um tipo muito diferente do restante. Além disso, os proficientes são organizados em três classes, de uma forma que lembra os detalhes técnicos da teologia calvinista[140]. Em primeiro lugar, há aqueles que estão perto da

139 Carta 71, parágrafo 30; carta 72, parágrafo 6; carta 7. parágrafo 8; carta 94, parágrafo 50.
140 Teologia avançada por João Calvino no século XVI. (N. do E.)

sabedoria, mas, por mais perto que estejam da porta do Céu, ainda estão do lado errado dela. Conforme alguns doutores, estes já estão a salvo do retrocesso, diferindo do sábio apenas por ainda não terem percebido que haviam alcançado o conhecimento; outras autoridades, no entanto, negaram-se a reconhecer isso, considerando a primeira classe como livre apenas de doenças crônicas da alma, mas não de ataques passionais passageiros.

Dessa maneira, os estoicos discordam entre si quanto à doutrina da "segurança final". A segunda classe representa os que haviam deixado de lado as piores doenças e paixões da alma, mas poderiam, a qualquer momento, sofrerem uma recaída. A terceira classe correspondia aos que escaparam de *uma* doença mental, mas não de outra; que haviam vencido a luxúria, mas não a ambição, que desconsideraram a morte, mas temiam a dor. Esta terceira classe, complementa Sêneca, não deve ser desprezada de forma alguma.

Epiteto[141] dedica uma dissertação (I, 4) ao mesmo assunto de progresso ou proficiência. "A única verdadeira esfera de progresso", declara ele, "reside no trabalho". Se você está interessado no progresso de um atleta, observe seus bíceps, não seus halteres; e assim, na moralidade, não são os livros que um homem leu, mas a maneira como se beneficiou de suas leituras, pois o trabalho do homem não é compreender Crisipo quando se trata de impulso, mas controlar o próprio impulso.

---

141 Epiteto (c. 55 - 135 d.C.), filósofo que buscou ressaltar a filosofia enquanto um modo de vida. Seus escritos foram gravados por Flávio Arriano, um de seus discípulos, resultando em obras de valor inestimável, entre as quais *Discursos* (série de oito livros dos quais sobraram apenas quatro) e *Encheiridion*. (N. do E.)

Dessas concessões à fraqueza da humanidade passamos agora aos paradoxos estoicos, em que veremos sua doutrina em todo o seu rigor. Talvez sejam esses mesmos paradoxos que explicam o fascínio intrigante através do qual o estoicismo afetou a mente da Antiguidade, da mesma maneira que a obscuridade de um poeta pode ser um passaporte mais certeiro à fama do que competências estritamente poéticas.

Sendo a raiz do estoicismo um paradoxo, não surpreende que suas ramificações também o sejam. Dizer que "a virtude é o sumo bem" é uma ideia à qual todo aquele que aspira à vida espiritual deve assentir com os lábios, mesmo que ainda não tenha aprendido a acreditar nisso em seu coração. Contudo, modifique-o para "a virtude é o único bem", e essa mera alteração se transforma de imediato na grande mãe dos paradoxos. Por paradoxo considera-se aquilo que vai contra a opinião comum. Agora, é bastante certo que os homens consideraram, consideram e, podemos acrescentar com segurança, considerarão boas as coisas que não são virtudes. Mas, se admitirmos este paradoxo inicial, muitos outros o seguirão — como, por exemplo, que "a virtude é suficiente por si mesma para trazer a felicidade". O quinto livro das *Discussões Tusculanas*, de Cícero, é uma significativa defesa dessa tese, na qual o orador combate a sugestão de que um homem bom não fica feliz quando está sendo torturado na roda!

Outro paradoxo notório dos estoicos é que "todas os vícios são iguais". Eles tomaram como base um conceito matemático de retidão. Um ângulo deve, necessariamente, ser ou não reto; uma linha deve ser necessariamente reta ou curva: por conseguinte, um ato deve ser certo ou errado. Não há meio-termo entre os dois, e não há graus de nenhum deles.

Pecar é cruzar a linha. Uma vez feito isso, não faz diferença, no que corresponde à ofensa, o quão longe você vá. A transgressão é proibida. Essa doutrina foi defendida pelos estoicos por causa de seu efeito moral provocador, mostrando a atrocidade do pecado. Horácio dá o julgamento do mundo ao dizer que o bom senso e a moralidade, para não falar da utilidade, levantam-se contra a transgressão.

Eis alguns outros exemplos dos paradoxos estoicos: "Todo imprudente é louco"; "Apenas o sábio é livre, e todo imprudente é um escravo"; "Somente o sábio é rico"; "Homens bons são sempre felizes e homens maus sempre miseráveis"; "Todos os bens são iguais"; "Ninguém é mais sábio ou mais feliz do que outro". "Mas não poderia um homem", pode-se perguntar, "ser mais sábio ou mais feliz do que outro?" "Poderia", responderiam os estoicos, "mas o homem que está a apenas um estádio de Canopus não está em Canopus tanto quanto o homem que está a cem estádios de distância; e um filhote de oito dias ainda está tão cego quanto no dia em que nasceu; nem pode um homem que está perto da superfície do mar respirar mais do que se estivesse a quinhentas braças de profundidade".

Enquanto os paradoxos acima não dependem de um uso metafórico da linguagem, todos parecem ser flexíveis a três pressupostos iniciais: a identificação da felicidade com a virtude, da virtude com a razão, e a visão tomada da razão como algo absoluto, não admitindo graus; algo que está presente em sua totalidade ou não está. Não existia o jogo de luz e sombra na paisagem estoica, uma vez que eles haviam eliminado as nuvens da paixão. Eles não podiam consentir que estas obscurecessem mais ou menos os raios da razão, recusando-se a reconhecer que existisse uma diferença que fosse natural entre as nuvens e a luz do sol; a paixão, segundo eles, configurando-se apenas como a razão que deu errado.

Seria justo para os estoicos acrescentar que os paradoxos estavam na ordem do dia na Grécia, embora superassem em grande parte outras escolas ao produzi-los. O próprio Sócrates foi o pai do paradoxo. Epicuro sustentava tão determinadamente quanto qualquer estoico que "Nenhum homem sábio é infeliz", e, se não foi mal interpretado, chegou ao ponto de declarar que o sábio, se colocado no touro de Faláris, exclamaria: "Que maravilha! Quão pouco me importo com isso!".

Está em desacordo com o bom senso fazer uma distinção rígida e rápida entre o bem e o mal. No entanto, foi o que os estoicos fizeram. Insistiram em fazer naquele momento a separação entre as ovelhas e as cabras, que Cristo adiou para o Dia do Juízo Final. Infelizmente, na prática, todos eram cabras, de modo que a divisão era meramente formal. "Aprova-se", diz Estobeu[142], "para Zenão e os filósofos estoicos que vieram depois dele, que existem dois tipos de homens: um bom e outro mau. Os bons durante toda a vida exibem as virtudes, e os maus, os vícios. Por isso, um tipo está sempre certo em tudo o que se propõe, e o outro sempre errado. E na medida em que os bons se valem das artes da viver em seu modo de agir, eles fazem todas as coisas bem feitas, executando-as com sabedoria, moderação e de acordo com as outras virtudes; ao passo que os maus, ao contrário, fazem tudo mal. Os bons são grandiosos, bem desenvolvidos, altos e fortes. Grandes, porque são capazes de atingir os objetivos que propõem a si mesmos e que dependem de

142 João Estobeu, compilador de diversos fragmentos de autores gregos. (N. do E.)

sua própria vontade; bem desenvolvidos porque encontram o crescimento em qualquer lugar; altos porque atingiram a altura que caracteriza um homem nobre e bom; e fortes porque são dotados da força que lhes é conferida. O homem bom não deve ser vencido ou lançado em um combate, visto que ele não é compelido por ninguém nem compele o outro; ele não é impedido nem impede; ele não é forçado por ninguém nem ele mesmo força ninguém; ele não faz mal e nem é maltratado; nem cai doente, nem é enganado ou engana a outro; nem está enganado ou é ignorante; não esquece, e não alimenta qualquer falsa suposição, mas é feliz no mais alto grau; afortunado, abençoado, rico, piedoso, amado por Deus e digno de tudo; apto para ser um rei, um general ou um estadista, versado nas artes de administrar uma casa e ganhar dinheiro; enquanto os maus têm todos os atributos que são opostos a estes. E, geralmente, aos virtuosos pertencem todas as coisas boas, e aos maus todos os males".

O bom homem dos estoicos era conhecido como "o sábio" ou "o homem sério" (*ὁ σπουδαῖος*), sendo este último nome herdado dos peripatéticos. Costumávamos ouvir dizer entre nós que uma pessoa se tornava "séria" quando se tornava religiosa. Outra denominação que os estoicos tinham para o sábio era "o homem urbano" (*ὁ ásmeîos*), enquanto o tolo, em contraste, era chamado de "camponês".

A "rusticidade" foi definida como "uma inexperiência dos costumes e leis do Estado". Por "Estado" entende-se não Atenas ou Esparta, como teria sido o caso em uma época anterior, mas a sociedade de todos os seres racionais, na qual os estoicos espiritualizaram o Estado. Somente o sábio tinha a liberdade nesta cidade e, portanto, o tolo não era apenas um camponês rude, mas um estrangeiro ou exilado. Nesta cidade, a justiça era natural e não convencional, pois a lei pela qual era governada era a da razão correta. A lei, então, foi espiritualizada pelos estoicos, assim como o Estado. Já nada significavam os decretos desta ou daquela comunidade, mas sim os mandatos da razão eterna que governavam o mundo e que prevaleciam no Estado ideal. A lei foi definida como "a razão correta ordenando o que devia ser feito e proibindo o que não devia ser feito". Como tal, não diferia do impulso do próprio sábio.

Como membro de um Estado e sujeito à lei por natureza, o homem era essencialmente um ser social. Entre todos os sábios existia "entendimento", que era "um conhecimento do bem comum", porque suas visões sobre a vida estavam em harmonia. Em contrapartida, os imprudentes, cujas visões da vida eram discordantes, eram inimigos uns dos outros e tendiam a se ferir mutuamente.

Enquanto membro da sociedade, o sábio executaria suas funções na vida pública. Na teoria, isso sempre foi verdade, e na prática ele assim acataria, onde o tipo de governo tivesse uma aproximação com o tipo ideal. Mas, se as circunstâncias garantissem que sua participação na política seria inútil para o seu país, sendo apenas uma fonte de perigo para si mesmo, então ele se absteria. O tipo de constituição que os estoicos mais aprovaram foi o de um governo misto, com elementos democráticos, aristocráticos e monárquicos. O sábio serviria como legislador onde as condições permitissem e educaria a humanidade; uma maneira de fazê-lo era escrevendo livros que se provassem vantajosos para o leitor.

Enquanto membro da sociedade existente, o sábio se casaria e procriaria, tanto para seu próprio bem quanto para o de seu país, pelos quais, se fosse por boas razões, ele estaria pronto para sofrer e morrer. De qualquer maneira, ele ansiaria por tempos melhores quando, tanto na república de Zenão quanto na de Platão, o sábio teria em comum mulheres e crianças, quando as gerações mais velhas amariam a nova geração igualmente com carinho paterno e quando o ciúme conjugal não existiria mais.

Sendo um ser particularmente social, o sábio era munido não somente das virtudes políticas mais sérias, mas das graças da vida. Ele era cortês, diplomático e encorajador, usando a conversa como meio de estimular a boa vontade e a amizade; ele era, tanto quanto possível, tudo para todos os homens, o que fazia dele um ser fascinante e cativante, insinuante e astuto; sabia chegar ao ponto e escolher o momento ideal; ainda assim, com tudo isso, ele era autêntico e destituído de ostentação, era simples e sem dissimulação; quando sozinho, nunca cultivava prazer pela ironia, muito menos pelo sarcasmo.

Das características sociais do sábio, abordaremos agora um lado de seu caráter que parece eminentemente antissocial. Um de seus atributos mais apreciados era a autossuficiência. Ele seria capaz de deixar uma cidade em chamas, vindo da ruína, não apenas de sua fortuna, mas de seus amigos e familiares, e declarar, com um sorriso, não haver perdido nada. Tudo o que realmente importava era estar centrado em si mesmo. Só dessa maneira poderia ter certeza de que o destino não arrancaria nada dele.

A imperturbabilidade ou falta de paixão do sábio são outros de seus atributos marcantes. Sendo as paixões, na visão de Zenão, não naturais, mas formas de doença, o sábio, enquanto homem perfeito, por certo estaria totalmente livre delas. Eram distúrbios do fluxo contínuo em que sua felicidade se apoiava. O sábio, portanto, nunca seria movido por um sentimento de favoritismo em relação a ninguém; ele nunca perdoaria uma falta; nunca sentiria piedade; nunca seria vencido por uma súplica; nunca seria levado à raiva.

Afirmar que o sábio é estimulado pela parcialidade pode ser considerado uma representação de um estado de espírito inatingível, mas muito apropriado. Porém, dizer que ele é vingativo pode levantar um preconceito contra ele por parte do homem comum. Havia duas razões, no entanto, para essa afirmação, que tendem a modificar a luz sob a qual ela se mostra inicialmente. Uma era a concepção ideal que os estoicos tinham da lei. A lei era santa, justa e boa. Relevar suas penalidades, portanto, ou considerá-las muito severas, não era tarefa de um homem sábio. Assim, descartaram a ideia apresentada por Aristóteles de "equidade" como correção para as desigualdades da lei.

Era algo muito instável para o temperamento absoluto de sua ética. Mas uma segunda razão para o sábio nunca perdoar, era o fato de que ele nunca tinha *nada* para perdoar. Nenhum dano poderia alcançá-lo enquanto sua vontade estivesse voltada para a retidão, isto é, enquanto ele fosse um sábio: o pecador pecou contra sua própria alma.

No que diz respeito à ausência de piedade no sábio, os próprios estoicos devem ter sentido alguma dificuldade nesse ponto, pois observamos Epiteto sugerir aos seus ouvintes que mostrassem, por simpatia, pesar por outrem, mas que tomassem cuidado para não sentir o mesmo por eles próprios. A inflexibilidade do sábio era mais consequência de sua racionalidade tranquila, a qual o levava a sempre julgar corretamente as situações desde o início. Logo, o sábio nunca poderia ser conduzido pela raiva, pois por que deveria despertá-la para ver o outro em sua ignorância ferindo a si mesmo?

Um ponto de vista extra precisa ser conferido à imperturbabilidade do sábio: ele era imune ao deslumbramento. Nenhum milagre da natureza poderia causar seu espanto — nenhuma caverna mefítica, algo que os homens considerariam a boca do inferno; nenhuma vazante profunda, tampouco a maravilha permanente dos habitantes do Mediterrâne; nenhuma fonte termal, nenhum jato de lava jorrando.

A ausência de paixão é apenas um passo para a ausência de erro. Assim, passamos agora à infalibilidade do sábio — uma doutrina monstruosa, que nunca foi colocada em debate nas escolas anteriores a Zenão. O sábio, afirmava-se, não sustentava opiniões, nunca se arrependia de seu comportamento, e nunca era enganado. Entre a luz do conhecimento e a escuridão da ignorância, Platão havia interposto o crepúsculo da opinião, onde os homens caminhavam na maior parte do tempo.

Não é assim, porém, que acontece com o sábio estoico. Dele, pode-se dizer, como Charles Lamb[143] disse do escocês por quem ele tão imperfeitamente simpatizava: "Sua compreensão está sempre em seu meridiano — você nunca vê o primeiro amanhecer, nem os primeiros raios. Não há va-

---

143 Charles Lamb (1775 - 1834), crítico e ensaísta inglês. (N. do E.)

cilações em sua autoconfiança. Suposições, hipóteses, dúvidas, meras intuições, semiconsciências, elucidações parciais, instintos obscuros, concepções embrionárias: não há lugar em seu cérebro ou vocabulário para tais. O crepúsculo da dúvida nunca recai sobre ele".

A opinião, seja na forma de uma "concordância vaga" ou de uma "suposição fraca", era estranha à disposição mental do homem sério. No que correspondia a ele, não houve consentimento apressado ou prematuro do entendimento das coisas, nem esquecimento, nem desconfiança. Ele nunca se permitiu ser enganado ou iludido; nunca precisou de um árbitro; nunca se deixou levar por outro.

Nenhum homem civilizado jamais se desviou de seu caminho, ou errou seu alvo, ou enxergou incorretamente, ou ouviu mal, ou errou em qualquer um de seus sentidos; nunca fez conjecturas ou mudou de ideia a respeito de alguma coisa; pois se de um lado era uma forma de consentimento imperfeita, do outro era um sinal prévio à precipitação. Não houve com ele nenhuma mudança, nenhuma retração e nenhum tropeço. Essas coisas eram para aqueles cujos dogmas podiam ser alterados. Além disso, é quase supérfluo garantirmos que o sábio nunca ficou bêbado. A embriaguez, como Zenão apontou, envolvia balbuciar, e disso o sábio nunca seria culpado. Ele não iria, no entanto, evitar os banquetes. De fato, os estoicos reconheciam uma virtude sob o nome de *sociabilidade*, algo que fazia parte da conduta adequada deles. Dizia-se de Crisipo que seu comportamento sempre demonstrava tranquilidade, ainda que seu andar fosse instável, desse modo declarando sua governanta que apenas suas pernas ficavam embriagadas.

Houve discussões até mesmo dentro da escola sobre a questão da infalibilidade do sábio. Aríston de Quio[144], embora fosse contraditório em outros assuntos, manteve-se firme no dogma de que o sábio não opinava. Diante disso, Perseu pregou nele uma peça. Fez um dos dois irmãos gêmeos guardar uma quantia em dinheiro com ele e o outro vir reclamá-lo. O sucesso do truque, entretanto, serviu apenas para estabelecer que Aríston não era o sábio; algo que todos os estoicos pareciam prontos o suficiente para reconhecer, já que as responsabilidades da posição eram tão cansativas.

Resta mais uma característica principal do sábio; a mais marcante e mais importante de todas do ponto de vista ético. Esta era sua inocência ou inofensividade. Ele não prejudicaria ninguém e não deveria ser prejudicado. Pois os estoicos acreditavam, assim como Sócrates, que não era permitido pela lei divina que um homem fosse prejudicado por um pior. Você não poderia prejudicar o sábio mais do que poderia prejudicar a luz do sol; ele estava em nosso mundo, mas não pertencia a ele. Não havia possibilidade de mal para o sábio, exceto em sua própria vontade, à qual ninguém teria alcance. E como o sábio estava além do dano, ele também estava acima do insulto. Os homens podem se envergonhar por sua atitude insolente frente à branda majestade dele, mas não estava em seu poder desonrá-lo.

Assim como os estoicos tinham sua analogia com o princípio da segurança final, também o tinham com a conversão repentina. Eles sustentavam que um homem pode se tornar sábio sem estar ciente disso, a princípio. A brusquidão ao

---

144 Aríston de Quio (c. 260 a.C. - 201 a.C.) pensador estoico grego, discípulo de Zenão de Cítio. (N. do E.)

transicionar da loucura para a sabedoria estava de acordo com o princípio de que não havia meio-termo entre os dois estados, mas era, naturalmente, algo que atraía críticas de seus oponentes.

Que um homem fosse em um momento estúpido e ignorante, injusto e imoderado, escravo, pobre e destituído de tudo, e, de repente, rei, rico e próspero, moderado e justo, seguro em seus julgamentos e isento de erros, "era uma transformação", eles declararam, "que se assemelhava mais aos contos de fadas do berçário do que às doutrinas de uma filosofia séria".

CAPÍTULO V

FÍSICA

Agora, temos diante de nós os principais fatos em relação à visão estoica da natureza humana, mas ainda precisamos ver em que contexto eles foram colocados. Qual era a perspectiva estoica em relação ao universo? A resposta a essa pergunta é fornecida pela sua Física.

Segundo os estoicos, existiam dois princípios primários para todas as coisas: o ativo e o passivo. O princípio passivo era aquele ser não qualificado conhecido como Matéria. O princípio ativo era o *Logos*, ou razão presente, que seria Deus. Acredita-se que esse princípio ativo permeia eternamente a matéria e cria todas as coisas. Esse dogma, estabelecido por Zenão, foi repetido pelos líderes subsequentes da escola.

Sendo assim, havia dois princípios primários, mas não havia duas causas primárias. O princípio ativo era a única causa, enquanto o outro era apenas material sobre o qual age o primeiro — inerte, sem sentidos, destituído em si mesmo de toda forma e qualidade, mas pronto para assumir quaisquer características.

A matéria foi definida como "aquilo a partir do que qualquer coisa é produzida"[145]. A Matéria Primordial, ou ser não qualificado, era eterna e não admitia aumento ou diminui-

145 Diógenes Laércio, *Ibid.*, parágrafo 150.

ção, somente mudança. Era a substância de todas as coisas que existem.

É observável que os estoicos usavam o termo "matéria" da mesma forma ambígua que usamos, ora para objetos sensíveis, que possuem forma e outras qualidades, ora para a concepção abstrata de matéria, que é desprovida de quaisquer qualidades.

Ambos esses princípios primários, deve-se entender, eram tidos como corpos, embora sem forma, um interpenetrando o outro em todos os lugares. Afirmar que o princípio passivo, ou matéria, é um corpo parece fácil para nós, devido à confusão familiar mencionada acima. Mas como o princípio ativo, ou Deus, poderia ser idealizado como um corpo? A resposta a essa pergunta pode parecer paradoxal. É porque Deus é um espírito. Espírito, em seu sentido original, significava ar em movimento. Agora, o princípio ativo não era o ar, mas algo que guardava uma analogia em relação a ele — o éter. Éter em movimento poderia ser chamado de "espírito", assim como o ar em movimento. Foi nesse sentido que Crisipo definiu "aquilo que existe" como "um espírito movendo-se para dentro e para fora de si mesmo", ou "um espírito movendo-se para frente e para trás".

Dos dois princípios primários que são não gerados e indestrutíveis, devem ser distinguidos os quatro elementos que, embora sejam fundamentais para nós, foram produzidos no princípio por Deus e estão destinados a serem um dia reabsorvidos na natureza divina. Esses elementos, para os estoicos, eram os mesmos que haviam sido aceitos desde

Empédocles[146] — ou seja, terra, ar, fogo e água. Os elementos, assim como os dois primeiros princípios, eram corpos; diferentemente deles, afirmava-se que tinham forma, além de extensão[147].

Um elemento era definido como aquilo do qual as coisas surgem inicialmente, e no qual elas são, por fim, dissolvidas[148]. Nessa relação, os quatro elementos estavam presentes em todos os corpos compostos no universo. Os termos terra, ar, fogo e água deviam ser entendidos em um sentido amplo: terra significava tudo o que continha a natureza terrosa, ar tudo o que continha a natureza aérea, e assim por diante. Dessa forma, no corpo humano, os ossos e tendões pertenciam à terra.

As quatro qualidades da matéria — quente, frio, úmido e seco — indicavam a presença dos quatro elementos. O fogo era a fonte do calor, o ar do frio, a água da umidade e a terra da secura. Entre eles, os quatro elementos compunham o ser não qualificado chamado Matéria. Todos os animais e outras naturezas compostas na Terra continham em si representantes desses quatro grandes constituintes físicos do universo, mas a lua, segundo Crisipo, compreendia apenas o fogo e o ar, enquanto o sol era puro fogo.

Enquanto todos os corpos compostos podiam ser decompostos nos quatro elementos, havia diferenças importantes entre eles. Dois deles, fogo e ar, eram leves, e os outros dois, água e terra, eram pesados. Por "leve" entendia-se aquilo que

146 Empédocles (c. 490 a.C. - 430 a.C.), filósofo grego pré-socrático. Ficou conhecido por sua teoria de que a origem da natureza era derivada não de um princípio único, mas de quatro elementos principais: terra, água, fogo e ar. (N. do E.)
147 Diógenes Laércio, *Ibid.*, parágrafo 134.
148 *Ibid.*, parágrafo 136.

tende a se afastar do próprio centro; por "pesado", aquilo que tende a aproximar-se dele. Em geral, os dois elementos leves estavam para os dois elementos pesados de maneira semelhante à que o princípio ativo está em relação ao princípio passivo. Mas além disso, o fogo possuía tão grande primazia que, se a definição de elemento fosse prescrita, poderia ser considerado sozinho digno do nome. Pois os outros três elementos surgiram dele e seriam, novamente, dissolvidos nele.

Obteríamos uma impressão completamente equivocada do que o Bispo Berkeley[149] chama de "a filosofia do fogo" se tivéssemos em mente, nesse contexto, o elemento feroz cuja força está na destruição. Ao invés disso, vamos imaginar como tipo de fogo o calor solar benigno e seráfico; o vivificador e nutridor de toda a vida terrestre. Pois de acordo com Zenão, havia dois tipos de fogo, um destrutivo e outro que podemos chamar de "construtivo", o qual ele denominou "artístico". Esse último, conhecido como éter, era a substância dos corpos celestes, assim como da alma dos animais e da "natureza" das plantas. Crisipo, seguindo Heráclito, ensinava que os elementos se transformavam uns nos outros por um processo de condensação e rarefação. O fogo primeiro se solidificava em ar, depois o ar em água e por fim a água em terra. O processo de dissolução ocorria na ordem inversa: a terra se desfazia em água, a água em ar e o ar em fogo. É permitido ver, nessa antiga doutrina, um prenúncio da ideia moderna dos diferentes estados da matéria — sólido, líquido e gasoso, com um quarto além do gasoso, sobre o qual a

149 George Berkeley (1685 - 1753), filósofo irlandês conhecido por sua teoria do imaterialismo, na qual ele defende a ideia de que "ser é ser percebido". (N. do E.)

ciência hoje apenas levanta hipóteses, e no qual a matéria parece quase se mesclar ao espírito.

Cada um dos quatro elementos tinha sua própria morada no universo. Mais externo a todos estava o "fogo" etéreo, que era dividido em duas partes: a primeira das estrelas fixas e a outra dos planetas. Abaixo disso, estava a esfera do "ar", e abaixo, a esfera da "água". A mais baixa, ou seja, a mais central de todas, era a esfera da "terra", o fundamento sólido de toda a estrutura. Podemos dizer que a água está acima da terra porque em nenhum lugar há água sem que haja terra abaixo dela, mas a superfície da água está sempre equidistante do centro, enquanto a terra possui elevações que se levantam acima da água.

A extensão era essencial para o corpo, embora a forma não o fosse. Um corpo era "aquilo que possui extensão em três dimensões: comprimento, largura e espessura", o que também era denominado corpo sólido. A fronteira desse corpo era uma superfície, que possuía comprimento e largura, mas não profundidade. A fronteira de uma superfície era uma linha, ou "comprimento sem largura", como em Euclides, ou "aquilo que tem apenas comprimento". Por fim, a fronteira de uma linha era um ponto, considerado "o menor sinal" (*σημεῖον ἐλάχιστον*). Essa definição é sugestiva dos *minima visibilia* ou pontos coloridos de Hume, mas sabemos que os estoicos não permitiam que uma linha fosse composta por pontos, ou que uma superfície fosse composta por linhas, ou que um sólido fosse composto por superfícies. No entanto, a definição estoica tem vantagem sobre a de Euclides, ao nos fornecer algo positivo sobre um ponto. A concepção de um ponto como "posição sem magnitude", que era corrente antes do tempo de Euclides (323-283 a.C.), é melhor do que qualquer uma das indicadas.

Um sólido geométrico não é um corpo, como o conhecemos ou como os estoicos o concebiam, pois eles consideravam o universo como um *plenum*. A "passividade" com eles parecia ocupar o lugar da "resistência" conosco, sendo o atributo que distinguia o corpo do vazio.

Quando dizemos que os estoicos consideravam o universo como um *plenum*, o leitor deve conceber por "universo" o Cosmos o Todo ordenado. Dentro dele não havia vazio devido à pressão da esfera celestial sobre a esfera terrestre. Mas fora dele estava o vazio infinito, sem começo, meio ou fim. Esse vazio ocupava uma posição muito ambígua em seu esquema. Não era ser, pois o ser se limitava ao corpo, mas ainda assim estava lá. Era, de fato, o nada, e é por isso que era infinito. Pois, como o nada não pode ser vinculado a nada, também não pode ser limitado. No entanto, embora ele próprio fosse incorpóreo, era capaz de conter corpo; fato que lhe permitia, apesar de sua não existência, desempenhar um propósito útil, como veremos.

Sendo assim os estoicos consideravam o universo como finito ou como infinito? Ao responder a essa pergunta, devemos distinguir nossos termos, assim como eles o faziam. O "Tudo", afirmavam eles, era infinito, mas o "Todo" era finito. Pois o "Tudo" abrangia o Cosmos e o vazio, enquanto o "Todo" incluía apenas o Cosmos. Podemos supor que essa distinção tenha sido originada pelos membros posteriores da escola. Pois Apolodoro observou a ambiguidade da palavra "Tudo" ao significá-la como:

(1) o Cosmos, apenas;

(2) o Cosmos + o vazio[150].

Se, portanto, pelo termo "universo" entendemos o Cosmos, ou o Todo ordenado, devemos dizer que os estoicos consideravam o universo como finito. Todo ser e todo corpo, que era o mesmo que ser, tinham necessariamente limites; apenas o não ser era ilimitado.

Outra distinção, desta vez atribuída a Crisipo, que os estoicos acharam conveniente fazer, foi entre as três palavras "vácuo", "lugar" e "espaço". O vácuo foi definido como "a ausência de corpo", lugar era aquilo ocupado pelo corpo, já "espaço" era reservado para algo parcialmente ocupado e parcialmente desocupado. Como não havia nenhum canto do Cosmos desprovido de corpo, então espaço, como se vê, era outro nome para o Todo. O lugar era comparado a um recipiente que estava cheio, o vácuo a um recipiente que estava vazio, e o espaço a um grande barril de vinho, como aquele em que Diógenes fez sua morada, estando parcialmente cheio, mas sempre com espaço para mais. A última comparação, é claro, não deve ser levada ao extremo, pois se o espaço é um barril, é um barril sem topo, fundo ou laterais.

Mas embora os estoicos considerassem nosso universo como uma ilha de existência em um oceano de vazio, eles não admitiam a possibilidade de que outras ilhas semelhantes pudessem existir além do nosso conhecimento. O espetáculo dos céus estrelados, que se apresenta todas as noites diante de seus olhos na brilhante imensidão de um céu do

150 Diógenes Laércio, *Ibid.*, parágrafo 143.

sul — isso era tudo o que havia de existência; além disso havia o nada. Demócrito ou os epicuristas poderiam sonhar com outros mundos, mas os estoicos defendiam a unidade do Cosmos com a mesma firmeza que os muçulmanos defendem a unidade de Deus, pois para eles o Cosmos era Deus.

Em termos de forma, eles concebiam o universo como esférico, baseados no fato de que a esfera era a figura perfeita e também a mais adequada para o movimento. Não que o universo como um todo se movesse. A Terra estava em seu centro, esférica e imóvel, e ao seu redor percorriam o sol, a lua e os planetas, cada um fixo em sua respectiva esfera como em anéis concêntricos, enquanto o anel mais externo de todos, que continha as estrelas fixas, girava em torno dos demais com uma velocidade inconcebível.

A tendência de todas as coisas no universo em direção ao centro mantinha a Terra fixa no meio, sujeita a uma pressão igual vinda de todos os lados. A mesma causa também, de acordo com Zenão, mantinha o próprio universo em repouso no vazio. Mas em um vazio infinito, não fazia diferença se o todo estava em repouso ou em movimento. Pode ter sido o desejo de escapar da noção de um totalidade migratória que o levou a apresentar a curiosa doutrina sobre o universo sem peso, por ser composto de elementos dos quais dois são pesados e dois são leves. O ar e o fogo, de fato, tendiam ao centro como tudo mais no Cosmos, mas somente quando atingiam sua morada natural. Até então, eles tinham uma natureza ascendente. Parece que as tendências ascendentes e descendentes dos elementos eram necessárias para neutralizar uma à outra e deixar o universo desprovido de peso.

A beleza do universo era um tema sobre o qual os estoicos adoravam discorrer. Isso se manifestava em sua forma, cor, tamanho e seu vestido bordado de estrelas. Sua forma era a de uma esfera, que era tão perfeita entre os sólidos quanto o círculo entre as figuras planas, e pela mesma razão, porque cada ponto na circunferência estava equidistante do centro. Sua cor era principalmente o azul profundo dos céus, mais escuro e mais brilhante do que o roxo; na verdade, a única tonalidade intensa o suficiente para alcançar nossos olhos através de uma vasta extensão de ar. Em tamanho, que é um elemento essencial da beleza, era, é claro, incomparável. E então havia a glória do...

> lampejo celestial que brilha nos olhos,
> o bordado formoso do Tempo, obra de mão habilidosa.

O universo era a única coisa perfeita em si mesma[151], a única coisa que tinha um fim em si mesma. Todas as outras eram perfeitas, de fato, como partes, quando consideradas em relação ao todo; mas nenhuma delas era um fim em si mesma, a menos que o homem pudesse ser considerado assim, pois ele nasceu para contemplar o universo e imitar suas perfeições[152]. Assim, os estoicos concebiam o universo em seu aspecto físico como: um todo, finito, fixo no espaço, mas girando em torno de seu próprio centro, a Terra, mais bela que todas as coisas e perfeita como um todo.

151 Cícero, *De Natura Deorum*, II, parágrafo 37.
152 *Ibid.*

No entanto, era impossível que essa ordem e beleza existissem sem uma mente. O universo era permeado pela inteligência, assim como o corpo do homem é permeado pela sua alma. Mas, assim como a alma humana, embora esteja presente em todo o corpo, não está presente em todos os lugares com a mesma intensidade; o mesmo ocorria com a alma do mundo. A alma humana se manifesta não apenas como intelecto, também há as manifestações inferiores de sensação, crescimento e coesão. É a alma a causa da vida vegetal, que se manifesta de forma mais particular nas unhas e cabelos; é a alma também que causa a coesão entre as partes das substâncias sólidas, como ossos e tendões, que compõem nosso corpo. Da mesma forma, a alma do mundo se manifestava nos seres racionais como intelecto, nos animais inferiores como meras almas, nas plantas como natureza ou crescimento, e nas substâncias inorgânicas como "sustentação" ou coesão. Adicione, a essa fase mais inferior, a mudança, e você terá o crescimento ou a natureza vegetal; acrescente a isso a fantasia e o impulso, e você alcançará a alma dos animais irracionais; em um estágio ainda mais elevado, você chegará ao intelecto racional e discursivo, que é peculiar ao homem entre as naturezas mortais.

Falamos da alma como a causa da vida vegetal em nossos corpos, mas as plantas não eram consideradas pelos estoicos como possuidoras de alma no sentido estrito. O que as animava era a "natureza" ou, como mencionamos acima, o "crescimento". A natureza, nesse sentido do princípio do crescimento, foi definida pelos estoicos como "um fogo construtivo, que avança de forma regular para a produção" ou "um espírito ígneo dotado de habilidade artística". Que a Natureza era uma artista não precisamos de prova, uma vez que sua obra era inspiração constante para a humanidade. Mas ela era uma artista que combinava o útil ao agradável, buscando simultaneamente a beleza e a conveniência. No sentido mais amplo, a Natureza era outro nome para a Providência, ou o princípio que mantinha o universo unido; mas, como o termo está sendo usado aqui, ele se referia ao grau de existência que está acima da coesão e abaixo da alma. Sob esse ponto de vista, ela foi definida como "uma coesão sujeita a mudanças originadas por si mesma, de acordo com razões seminais, que produz e mantém seus resultados em tempos definidos, e reproduz nas descendências as características dos pais". Isso soa tão abstrato quanto a definição de vida de Herbert Spencer[153], mas deve-se ter em mente que a natureza era o tempo todo um "espírito" e, como tal, um corpo. Era um corpo de uma essência menos sutil do que a alma. Da mesma forma, quando os estoicos falavam de coesão, não se referiam a algum princípio abstrato como a atração. "Coesões", disse Crisipo, "não são nada além de ares, pois é por meio deles que os corpos são mantidos coesos, no que concerne às qualidades individuais das coisas que são mantidas unidas pela coesão, é o ar a causa compressora que no ferro é chamada de 'dureza', na pedra de 'espessura' e na prata de 'brancura'". Portanto, não apenas o que se caracteriza como sólido, mas também as cores, que Zenão chamava de "os primeiros esquematismos" da matéria, eram consideradas como sendo devidas à misteriosa ação do ar. Com efeito, as qualidades, em geral, eram nada mais do que sopros e

153 Grande admirador das obras de Charles Darwin, Herbert Spencer (1820 - 1903), sociólogo e filósofo inglês, foi um dos primeiros a defender a teoria da evolução. (N. do E.)

tensões do ar, que davam forma e figura à matéria inerte que servia a elas como fundamento.

Como o homem é, em certo sentido, a alma, em outro o corpo, e em outro ainda a união de ambos, o mesmo acontecia com o Cosmos. A palavra era usada em três sentidos diferentes:

1. Deus;
2. a organização dos astros;
3. a combinação de ambos.

O Cosmos, identificado como Deus, era descrito como um indivíduo composto por todo o existir, sendo incorruptível e não gerado, criador da estrutura ordenada do universo, que em certos períodos absorve toda a existência em si mesmo e a cria novamente a partir de si mesmo. Assim, o Cosmos em seu aspecto externo estava destinado a perecer, e o modo de sua destruição seria pelo fogo, uma doutrina que deixou sua marca nas crenças multiculturais até os dias atuais. O que causaria essa consumação seria o fato de a alma ficar demasiadamente grande, tornando-se desproporcional ao seu corpo, que eventualmente ela engoliria por completo. Na explosão, quando tudo retornasse ao éter primordial, o universo seria uma alma pura e viveria igualmente em todas as partes. Nesse estado sutil e atenuado, ele ocuparia mais espaço do que antes e se expandiria no vazio, contraindo-se novamente quando outro período de geração cósmica fosse estabelecido. Daí a definição estoica do *Vazio* ou *Infinito* como aquilo em que o Cosmos se dissolve na explosão.

Nessa teoria da contração do universo a partir de um estado etéreo e seu retorno final à mesma condição, pode-se observar uma semelhança com a hipótese científica moderna sobre a origem do nosso sistema planetário, a partir da nebulosa solar e sua destruição predestinada na mesma. Isso é especialmente evidente na forma como a teoria era sustentada por Cleantes, que imaginava os corpos celestes lançando-se em direção à sua própria destruição ao se arremessarem, como mariposas gigantes, em direção ao sol. No entanto, Cleantes não concebia que apenas uma força mecânica estivesse em ação nessa matéria. A grande apoteose do suicídio que ele previa era um ato voluntário, pois os corpos celestes eram deuses e estavam dispostos a perderem-se em uma vida maior.

Dessa forma, todos os deuses, exceto Zeus, eram mortais, ou pelo menos perecíveis. Deuses, como os homens, estavam destinados a ter um fim algum dia. Eles se derreteriam na grande fornalha do existir, como se fossem feitos de cera ou estanho. Então, Zeus ficaria sozinho com seus próprios pensamentos, ou como os estoicos às vezes diziam, Zeus se apoiaria na Providência. Pois, por Providência, eles concebiam o princípio orientador ou mente do todo, e por Zeus, enquanto diferenciado da Providência, eles se referiam a essa mente juntamente ao Cosmos, que era seu corpo. Na explosão, os dois se fundiriam em uma única substância de éter. E então, na plenitude do tempo, haveria uma restituição de todas as coisas. Tudo voltaria a ser exatamente como antes.

Alter erit tum Tiphys, et altera que vehat Argo delectos heroas; erunt etiam altera bella, atque iterum ad Troiam magnus mittetur Achilles.

[Então, nascerá outro Tiphys, e outra Argo, para conduzir os heróis escolhidos; haverá também outras guerras, e novamente para Troia será enviado o grande Aquiles.]

Para nós, que fomos ensinados a ansiar pelo progresso, essa parece uma perspectiva desanimadora. Mas os estoicos eram otimistas consistentes e não pediam por uma mudança no que era melhor. Eles estavam contentes em ver o único drama da existência desfrutar de uma execução perpétua, talvez sem consideração muito precisa pelos atores. A morte interrompia a vida, mas não a encerrava. Pois a vela da vida, que era apagada agora, seria acesa novamente no futuro. Ser e não ser se sucediam em um ciclo interminável para todos, exceto Aquele no qual todo o ser era dissolvido e revelava-se novamente, como se fosse do vórtice de algum turbilhão eterno.

CAPÍTULO VI

CONCLUSÃO

Quando Sócrates declarou diante de seus juízes que "não há mal que possa atingir um homem bom, nem na vida nem após a morte, e seus assuntos não são negligenciados pelos deuses", ele estabeleceu o tom do estoicismo, com suas duas principais doutrinas da virtude como o único bem e do governo do mundo pela Providência. Vamos ponderar suas palavras, para não interpretá-las à luz de uma piedade moderna confortável. Muitas coisas comumente chamadas de mal podem e acontecem a um homem bom nesta vida e, portanto, presumivelmente, infortúnios também podem lhe sobrevir em qualquer outra vida que possa existir. O único mal que jamais pode acontecer a ele é o vício, porque isso seria uma contradição quanto à terminologia. A menos que Sócrates estivesse proferindo palavras vazias na ocasião mais solene de sua vida, ele deve ser entendido como querendo dizer que não há mal além do vício, o que implica não haver nenhum bem além da virtude. Assim, somos levados de imediato ao cerne da moralidade estoica. À pergunta sobre o porquê, se existe uma Providência, tantos males acontecem a homens bons, Sêneca respondeu, inabalável: "Nenhum mal pode acontecer a um homem bom; contrários não se misturam." Deus removeu deles todo mal, porque tirou deles crimes e pecados, maus pensamentos e projetos egoístas, luxúria cega e avareza insaciável. Cuidou bem deles, mas não se espera que Ele cuide de sua bagagem: os homens bons O aliviam dessa preocupação sendo indiferentes a ela[154]. Essa é a única forma pela qual a doutrina da Providência divina pode ser mantida de forma consistente com os fatos da vida. Novamente, quando Sócrates, na mesma ocasião, expressou sua crença de que não era "permitido pela lei divina que um homem melhor fosse prejudicado por um pior", ele estava afirmando implicitamente a posição estoica. Nem Meleto nem Ânito[155] poderiam prejudicá-lo, embora pudessem matá-lo, exilá-lo ou privá-lo de seus direitos. Esse trecho de *Apologia de Sócrates*, em forma condensada, é adotado por Epiteto como uma das palavras de ordem do estoicismo.

Não há nada mais característico de Sócrates do que a doutrina de que virtude é conhecimento. Neste ponto, também, os estoicos o seguiram, ignorando tudo o que Aristóteles havia feito ao apresentar a função das emoções e da vontade na virtude. Os estoicos sustentavam que a razão era um princípio de ação, enquanto Aristóteles, era um princípio que orientava a ação, mas a força motriz precisava vir de outro lugar. Sócrates até pode ser responsabilizado pelo paradoxo estoico da insensatez de todas as pessoas comuns.

Os estoicos não deviam muito aos peripatéticos. Uma proporção excessiva de equilíbrio e sistematizadora na mente mestra de Aristóteles se contrastava com a potência restrita dos estoicos. Para eles, o reconhecimento do valor das paixões correspondia a uma defesa contra a doença sob o prisma da moderação; já o reconhecimento de Aristóteles de

---

154 Sêneca, carta 74, parágrafo 10.

155 Diante do tribunal popular, Meleto, na companhia de Ânito, acusou Sócrates de corromper a juventude, introduzir novos cultos e não reconhecer os deuses aceitos pelo Estado da época. O julgamento resultou na morte de Sócrates por ingestão de cicuta. (N. do E.)

outros elementos além da virtude na concepção da felicidade parecia, para eles, uma traição da fortaleza; dizer, como ele o fez, que a prática da virtude correspondia ao bem maior não era um mérito na visão dos estoicos, a menos que fosse acrescentado à confissão de que não havia nenhum nenhum fora da virtude. Os estoicos procuraram tratar o homem como um ser de pura razão. Os peripatéticos não fechavam os olhos para sua natureza mista, e afirmavam que o bem do ser humano também deveria ser misto, contendo elementos que se referiam ao corpo e ao ambiente. Os bens da alma, de fato, superavam em muito os do corpo e da propriedade, mas ainda assim estes últimos precisavam ser considerados. O fato de a virtude ser a única coisa necessária teria sido reconhecido pelos peripatéticos assim como pelos estoicos, no entanto, em outro sentido. Os peripatéticos teriam entendido que coisas como saúde, riqueza, honra, família, amigos e país, embora fossem boas à sua própria maneira, não poderiam ser comparadas aos bens da alma; enquanto os estoicos literalmente afirmavam que não existiam outros bens.

Na prática, as duas doutrinas chegariam ao mesmo resultado, já que o seguidor de qualquer uma delas, se fiel aos seus princípios, igualmente sacrificaria os bens secundários em favor dos mais importantes, em caso de conflito. Mas os peripatéticos tinham a vantagem de chamar de bens as coisas que todos assim admitem. Com relação à felicidade, eles também estavam do lado da opinião comum. Esta não é pensada separadamente da virtude, nem separadamente do destino. Ela tem seu lado interno e externo. Os estoicos reconheciam somente o lado interno; os peripatéticos incluíam também o lado externo. Ao restringir a felicidade ao seu lado interno, os estoicos a identificavam com a virtude.

Mas essa é essencialmente uma visão unilateral. A felicidade é um ponto de vista composto. É como a imagem vista por Nabucodonosor em seu sonho, que começava em ouro puro e terminava em barro lodoso. Assim, a felicidade consiste principalmente no ouro puro da virtude, mas, em suas extremidades, desdobra-se em materiais mais vis.

Embora possamos recusar falar de acordo com os estoicos, discordando então do uso equivocado de sua linguagem, não precisamos deixar de admirar a elevação de suas aspirações. Eles desejavam que a imagem de seu sábio fosse feita de ouro fino da cabeça aos pés. Sentiam que nenhum bem, exceto o mais elevado, poderia ser satisfatório. Estavam em busca de uma paz que o mundo não pode oferecer; e eles disseram à Virtude, assim como Agostinho[156] disse a Deus: "Nosso coração não encontra descanso, até que descanse em Ti". Eles perceberam que, se a felicidade dependesse em qualquer grau de coisas externas, a tranquilidade imperturbável do sábio seria impossível. É impossível, de fato. O cristianismo assim admitiu ao adiar a felicidade para uma vida futura. Mas foi o desejo por essa paz perfeita que o levou à posição estoica. Eles também estavam seguros de que o homem bom deve ser amado por Deus e objeto de Seu cuidado; mas viram que o mesmo não ocorria com relação às coisas externas: assim, inferiram que essas coisas eram indiferentes e, portanto, desprezíveis; logo, não precisavam se preocupar com elas. Bastava que mantivessem uma consciência sem pecado, pois o restante se resolveria sozinho. Não se preocupar com o amanhã foi a consequência de seus

156 Santo Agostinho (354 - 430), bispo de Hipona (norte da África) que teve forte influência tanto na elaboração quanto na consolidação da filosofia cristã na Idade Média. (N. do E.)

ensinamentos, assim como do Sermão da Montanha. Mas os estoicos estavam preparados para levar sua doutrina às consequências lógicas e, caso o alimento não estivesse disponível, aproveitarem eles mesmos de uma porta que lhes estivesse aberta. Quanto tempo a virtude duraria, eles declararam, não importava; era o estado de espírito que contava. O sábio consideraria que o tempo não lhe pertencia. Assim, os estoicos estavam prontos para servir a Deus sem recompensa, não pedindo nem mesmo uma gratificação que consistia em "seguir e, de qualquer maneira, ser". Eles não julgavam Sua Providência pelos pães e peixes que lhes cabiam, mas tinham a fé que podia exclamar: "Ainda que Ele me mate, ainda assim, continuarei a confiar n'Ele". Por que aquele que possui o único bem deveria reclamar da distribuição das coisas indiferentes? O verdadeiro estoico, tendo optado pela melhor parte, ficava satisfeito em permanecer em silêncio e não reclamar. Poderia haver uma vida futura — os estoicos acreditavam nisso — mas ela nunca se apresentou como necessária para corrigir a injustiça desta vida. Não existia injustiça. A virtude não precisava de recompensa, pois se bastava em si mesma. Nem os viciosos poderiam deixar de receber seu castigo, uma vez que esse castigo era ter perdido o único bem[157].

"Virtutem videant, intabescantque relicta."

["Que vejam a virtude e definhem, deixados para trás."]

157 Sêneca, carta 97, parágrafo 14.

Embora os estoicos fossem religiosos até o ponto da superstição, não invocavam os terrores da teologia para reforçar a lição da virtude. Platão faz isso até mesmo na própria obra, cujo objetivo declarado é provar a superioridade *intrínseca* da justiça sobre a injustiça. Mas Crisipo protestou contra a atitude de Platão nesse ponto, declarando que falar sobre o castigo pelos deuses era apenas "história de bicho-papão". De fato, tanto pelos estoicos quanto pelos epicuristas, o medo dos deuses foi descartado da filosofia. Os deuses epicuristas não se envolviam nos assuntos dos homens; o Deus estoico era incapaz de demonstrar ira.

A ausência de qualquer apelo a recompensas e punições era uma consequência natural do princípio central da moralidade estoica: que a virtude em si é a mais desejável de todas as coisas. Outra consequência de igual clareza do mesmo princípio é: melhor ser do que parecer virtuoso. Aqueles que sinceramente acreditam que a felicidade é encontrada na riqueza, prazer ou poder preferem a realidade à aparência desses bens; deve ser o mesmo para aquele que sinceramente acredita que a felicidade reside na virtude. Ser justo, então, é a grande aspiração: quantos sabem que você é assim não importa. Muito mais importante do que o que os outros pensam de você é o que você tem razões para pensar de si mesmo. O mesmo espírito investigativo é demonstrado na declaração estoica de que "cair na licenciosidade é pecado, mesmo sem o ato". Aquele que compreende a força de tal filosofia pode indagá-la muito bem nas palavras de Cícero: "Um dia bem vivido e de acordo com teus preceitos vale uma imortalidade de pecado".

Apesar da tranquilidade da qual os estoicos se glorificavam, é verdade dizer que a humanidade do seu sistema constitui uma das suas mais justas reivindicações ao nosso respeito. Eles foram os primeiros a reconhecer, em sua plenitude, o valor do homem como ser humano; eles proclamaram o reinado da paz, pelo qual ainda aguardamos; anunciaram ao mundo a paternidade de Deus e a fraternidade dos homens; eles estavam seguros da solidariedade entre os homens e afirmaram que o interesse de um deve ser subordinado ao de todos. A palavra "filantropo", embora conhecida antes de seu tempo, foi reforçada por eles enquanto definição para a virtude entre as virtudes.

O Estado ideal de Aristóteles, assim como a República de Platão, ainda é uma cidade helênica; Zenão foi o primeiro a sonhar com uma república que envolvesse toda a humanidade. Em *A República,* de Platão, todos os bens materiais são encaminhados, desprezivelmente, para as classes mais baixas, ao passo que os bens intelectuais e espirituais são direcionados aos superiores. No ideal de Aristóteles, a maior parte da população é mera condição, não parte integral do Estado. A aceitação insensível de Aristóteles sobre a existência da escravidão cegou seus olhos para um ponto de vista mais abrangente, que já naquela época começava a ser aceito. Suas teorias do escravo por natureza e da nobreza por natureza referente aos gregos são meras tentativas de justificar a prática. Na Ética, de fato, existe um reconhecimento dos direitos do homem, mas é tênue e relutante. Aristóteles nos diz que um escravo, enquanto ser humano, reconhece a justiça e, portanto, a amizade, mas infelizmente não é essa concessão que predomina em seu sistema, mas sim a redução do escravo a uma ferramenta viva que imediatamente a precede. Em outro trecho, Aristóteles destaca que os homens, como outros animais, cultivam uma afeição natural pelos membros de sua própria espécie, um fato que, segundo ele, é melhor observado em viagens. Esse humanitarismo incipiente parece ter sido elaborado de forma muito mais marcante pelos seguidores de Aristóteles, mas foram os estoicos que conquistaram a glória de iniciar o sentimento humanitário.

A virtude, com os filósofos gregos anteriores, era aristocrática e exclusiva. O estoicismo, assim como o cristianismo, a abriu até mesmo para os mais humildes da humanidade. No reino da sabedoria, assim como no reino de Cristo, não havia bárbaro, citas, escravo ou homem livre. A única verdadeira liberdade era servir à filosofia, ou, o que era a mesma coisa, servir a Deus; e isso poderia ser feito em qualquer época na vida. A única determinação para a comunhão com deuses e homens bons era possuir uma certa disposição de espírito, que poderia ser igualmente encontrada em um nobre, em um liberto ou em um escravo. Em vez da arrogante afirmação sobre a nobreza natural dos gregos, agora ouvimos que uma boa mente é a verdadeira nobreza[158]. A origem não tem importância; todos são descendentes dos deuses. "A porta da virtude não está fechada para ninguém; está aberta a todos, acolhe a todos, convida a todos — homens livres, libertos, escravos, reis e exilados. Sua escolha não se baseia em família ou fortuna; ela se contenta com o mero homem." Onde quer que houvesse um ser humano, o estoicismo via um campo para fazer o bem. Seus seguidores sempre deviam ter em seus lábios e corações o conhecido ditado...

158 Sêneca, carta 44, parágrafo 2.

"*Homo sum, humani nihil a me alienum puto.*"

["Eu sou humano, nada do que é humano me é estranho."]

O espírito humanitário dos gregos está intimamente ligado ao seu universalismo.

Universalismo é uma palavra que, com o passar do tempo, contraiu-se em vez de expandir-se em significado. Por universalismo, entendemos a liberdade das amarras da nacionalidade. Os estoicos compreendiam isso e mais. A cidade da qual eles afirmavam ser cidadãos não era apenas este mundo no qual habitamos, mas o universo como um todo, com toda a poderosa vida nele contida. Nessa cidade, as maiores da Terra — Roma, Éfeso ou Alexandria — eram apenas casas. Ser exilado de uma delas era apenas como mudar de alojamento, e a morte apenas uma mudança de um bairro para outro. Os cidadãos livres dessa cidade eram todos os seres racionais — sábios na Terra e astros no céu. Essa ideia estava perfeitamente de acordo com o gênio elevado do estoicismo. Foi proclamada por Zenão em sua República, e depois por Crisipo e seus seguidores. Ela cativou a imaginação de escritores estrangeiros, assim como do autor do peripatético *De Mundo*, que possivelmente era de origem judaica, e de Fílon e São Paulo, que certamente o eram. Cícero não deixa de mencioná-la em favor dos estoicos; Sêneca se deleita nela; Epiteto a utiliza para a edificação e Marco Aurélio encontra consolo em sua cidadania celestial para os cuidados de um governante terreno — pois, como Antonino[159], sua cidade é Roma, mas como homem, é o universo.

159 Antonino Pio (86 d.C. - 161 d.C.), imperador romano após Adriano, que o adotou como filho. (N. do T.)

A filosofia de uma Era talvez não possa ser inferida com base em suas condições políticas, com a certeza que alguns escritores assumem; no entanto, há casos em que a conexão é óbvia. Com uma visão abrangente da matéria, podemos dizer que a abertura do Oriente pelas armas de Alexandre foi a causa da mudança do ponto de vista filosófico do helenismo para o cosmopolitismo. Se refletirmos que os pensadores cínicos e estoicos eram, em sua maioria, estrangeiros na Grécia, encontraremos uma razão muito concreta para a mudança de perspectiva. A Grécia havia cumprido seu papel na educação do mundo e este estava começando a retribuir da mesma forma. Aqueles que haviam sido rotulados como escravos por natureza agora estavam outorgando leis à filosofia. O reino da sabedoria estava sofrendo violência nas mãos dos bárbaros.

DATAS E AUTORIDADES

	a.C.:
Morte de Sócrates	399
Morte de Platão	347

Zenão	347-275
Aprendiz de Crates	325
Aprendiz de Estílpon e Xenócrates	325-315
Começou a lecionar	315

Epicuro	341-270
Morte de Aristóteles	322
Morte de Xenócrates	315
Cleantes (sucessor de Zenão)	275
Morte de Crisipo	207
Decreto do Senado que proibiu o ensino da filosofia em Roma	
Diógenes da Babilônia	
Delegação dos filósofos em Roma	155
Antípatro de Tarso	

Panécio. Acompanhou Cipião Africano em sua missão no Oriente	143
• Seu tratado sobre o *Decoro* foi a base para *Ofícios*, de Cícero.	

Círculo *cipiônico* em Roma
• Grupo social que foi muito influenciado pelo estoicismo.
• Seus principais membros foram: Cipião Africano, Caio Lélio Sapiente, Lúcio Fúrio Fílon, Marco Manílio, Espúrio Múmio, Públio Rutílio Rufo, Quinto Élio Tuberão, Políbio e Panécio.

Suicídio de Blóssio de Cuma, discípulo de Antípatro de Tarso e conselheiro de Tibério Graco	130
Mnesarco, um aprendiz de Panécio, lecionava em Atenas durante a visita do orador Crasso	111

Hécato de Rodes
• Grande autor do estoicismo, aprendiz de Panécio e amigo de Tuberão.

Posidônio	cerca de 128-44
• Nasceu em Apameia, na Síria;	
• Naturalizado como cidadão de Rodes;	
• Representou os rodeanos em Roma	86
• Cícero foi seu aprendiz em roma	78
• Retornou à Roma em idade avançada	51

Obras filosóficas de Cícero	54-44
• Estas são uma autoridade principal para o nosso conhecimento dos estoicos.	

	d.C.
Fílon de Alexandria veio em uma embaixada para Roma.	
• As obras de Fílon estão impregnadas de ideias estoicas e ele demonstra um conhecimento preciso de sua terminologia.	

Sêneca	
• Exilado em Córsega	41
• Retirado do exílio	49
• Forçado ao suicídio por Nero	65
• Suas *Cartas Morais* e obras filosóficas em geral são escritas a partir do ponto de vista estoico, embora sejam um pouco influenciadas pelo Ecletismo.	

Plutarco	Floresceu em 80
• As obras filosóficas de Plutarco que têm maior relevância para os estoicos são: *De Alexandri Magni fortuna aut virtute, De Virtute Morali, De Placitis Philosophorum, De Stoicorum Repugnantiis, Stoicos absurdiora poetis dicere, De Communibus Notitiis.*	

Epiteto	Floresceu em 90
• Ex-escravo de Epafrodito	
• Aprendiz de Caio Musônio Rufo	
• Viveu e lecionou em Roma até o ano 90 d.C., quando os filósofos foram expulsos por Domiciano. Em seguida, retirou-se para Nicópolis, em Épiro, onde passou o resto de sua vida.	

• Epiteto não escreveu nada por si mesmo, mas suas Dissertações, preservadas por Arriano, das quais o *Manual* é extraído, contêm a apresentação mais agradável que temos da filosofia moral dos estoicos.

Caio Musônio Rufo	
• Exilado para Gyaros	65
• Voltou para Roma	68
• Tentou mediar entre os homens de Vitélio e Vespasiano	69
• Foi responsável pela condenação de Publius Celer.	

Quinto Júnio Rústico	cônsul em 162
• Tutor de Marco Aurélio, com quem aprendeu a apreciar Epiteto	

Marco Aurélio Antonino	imperador de 161 até 180
• Escreveu o livro comumente intitulado *Meditações* sob o título de "A si mesmo". Ele pode ser considerado o último dos estoicos.	

Três autoridades tardias do estoicismo são:
• Diógenes Laércio (200?)
• Sexto Empírico (225?)
• Estobeu (500?)

Obras modernas:
Edição de Von Arnim dos *"Fragmenta Stoicorum Veterum"*
Fragments of Zeno and Cleanthes" de Pearson, da Pitt Press
Resquícios de C. Musonius Rufus na série Teubner
• *"Stoics and Epicureans"* de Zeller
As de Sir Alexander Grant: *"Ethics of Aristotle"*, *Essay VI on the Ancient Stoics Lightfoot on the Philippians, Dissertation II, "A Correspondência entre Paulo e Sêneca"*